325

idées
reçues

L'Immigration

Pour
Carlotta Alessandri

idées
reçues

L'Immigration

Smaïn Laacher

Économie & Société

Le Cavalier Bleu
EDITIONS

Smaïn Laacher

Sociologue, chercheur associé au Centre d'études des mouvements sociaux (CNRS-EHESS), il travaille depuis plusieurs années sur l'immigration, les flux migratoires internationaux et les déplacements de populations. Il est par ailleurs juge représentant le Haut Commissariat des Nations unies pour les réfugiés (HCR) à la Commission des recours des réfugiés.

Du même auteur

– *Algérie, réalité sociale et pouvoir*, Paris, L'Harmattan, 1985
– *Questions de nationalité. Histoire et enjeux d'un code*, sous la direction de Smaïn Laacher, Paris, L'Harmattan, 1987
– *Situation régulière*, co-édition, Centre d'études de l'emploi, Paris, L'Harmattan, 2002 (avec François Brun)
– *Après Sangatte. Nouvelles immigrations. Nouveaux enjeux*, Paris, La Dispute, 2002
– *Les Systèmes d'échange local. Une utopie anticapitaliste en pratique*, Paris, La Dispute, 2003
– *L'Institution scolaire et ses miracles*, Paris, La Dispute, 2005

La collection « Idées Reçues »

Les idées reçues sont tenaces. Nées du bon sens populaire ou de l'air du temps, elles figent en phrases caricaturales des opinions convenues. Sans dire leur origine, elles se répandent partout pour diffuser un « prêt-à-penser » collectif auquel il est difficile d'échapper...

Il ne s'agit pas ici d'établir un *Dictionnaire des idées reçues* contemporain, ni de s'insurger systématiquement contre les clichés et les « on-dit ». En les prenant pour point de départ, cette collection cherche à comprendre leur raison d'être, à déceler la part de vérité souvent cachée derrière leur formulation dogmatique, à les tenir à distance respectable pour offrir sur chacun des sujets traités une analyse nuancée des connaissances actuelles.

Vous souhaitez aller plus loin ? **www.ideesrecues.net**

Immigration [im(m)igʀasjɔ̃] (n.f.) : du latin *immigratio* : entrée dans un pays d'une personne non autochtone qui vient s'y établir. Qui est venu de l'étranger. Les cités grecques sont en permanence confrontées à l'étranger (*xénos*), à celui qui n'appartient pas à la cité. Et parler grec ne suffit pas à faire de lui un naturel du lieu. Étrangers, métèques (de *méta* « avec » et *oikos* « maison ») ou barbares (l'étranger absolu), tous sont, plus ou moins radicalement, des groupes qui ne sont pas d'ici. Mais l'hospitalité n'est pas une politique inconnue des Grecs. C'est une prescription à caractère religieux, la *xénia*, placée sous les auspices de Zeus, le « protecteur des étrangers ».

Aujourd'hui, l'immigration doit être entendue comme un processus historique qui lie des pays dans un rapport de domination. L'immigration résulte ou tisse des liens de dépendances entre sociétés : la société qui exporte ses émigrés et celle qui les accueille, les transformant en immigrés. Être immigré est une condition sociale. C'est une manière d'être dans le monde et plus particulièrement dans le monde des autres. En cela, on peut dire qu'être immigré est une condition ontologique. L'étranger ou l'immigré est celui qui arrive de loin, il est sous notre responsabilité sans vraiment nous appartenir et sans vraiment qu'il se sente des nôtres. C'est celui à propos de qui on se demande sans cesse : « Pourquoi cet être embarrassant ne fait-il pas corps avec la nation ? » L'étranger, au sens grec, est bien *celui qui n'était pas là depuis le début*.

De l'immigré au Français

Conclusion

Annexes

Introduction

Dire que l'immigration est devenue, au fil des années, un des enjeux majeurs pour la société française, est désormais presque une banalité. Ce thème, en fait, recouvre un grand nombre de réalités et de configurations aussi disparates que l'immigration légale, la polygamie, le droit de vote des étrangers, le foulard islamique, les jeunes de banlieue, l'immigration clandestine, le droit d'asile, l'islam, etc. Comme si l'étranger ou l'immigré (qu'il soit jeune, homme, femme ou vieux n'a aucune importance) constituait à lui seul un pays, fait de *corps étrangers* suspendus au-dessus du monde et de la société. Comme si l'étranger ne devait rien, dans les registres de la langue, de la culture, de la civilité, de la formation et de la profession à la société dans laquelle il demeure et par qui il est et sera à jamais habité. Parce *qu'ils n'étaient pas là depuis le début*, ne cesse-t-on de répéter, on pense qu'ils auront toutes les peines du monde à rendre leur présence naturelle. À être perçus par le reste de la population comme faisant partie naturellement du paysage social. En un mot, c'est bien parce qu'on pense qu'ils ne sont pas à leur place, ou à la bonne place, qu'on s'étonne de la manière dont ils occupent leur place dans l'ordre national.

Tous les débats sur l'immigration en France et ailleurs, et cela même quand les protagonistes font semblant de ne pas en parler ou de ne pas y penser (les dernières violences urbaines à la fin de l'année 2005 en sont un exemple parfait), tournent inlassablement sur la manière la plus politiquement judicieuse d'intégrer ces populations à la société et à la nation. On comprend que ces débats soient passionnés, qu'ils engagent à chaque fois, au sens fort, l'identité entière des personnes. L'immigration est affaire de cohésion sociale et nationale, de l'identité des uns et des autres, du rapport au passé, au présent et à l'avenir. Avec l'immigration, nous sommes dans des enjeux de filiations, d'affiliations et d'appartenances.

Pour les uns, les immigrés, la question est de savoir comment compter quand on n'est pas là depuis le début. Pour les autres, l'État, les institutions, tout l'enjeu est de savoir comment inclure des populations qui ne leur appartiennent pas mais sont sous leur responsabilité. Bien entendu, cette inclusion se complique et se spécifie davantage avec les populations françaises d'origine immigrée, françaises de droit mais immigrées de fait. Si tout le monde n'a pas son mot à dire sur la meilleure stratégie pour combler les déficits de la Sécurité sociale, ou ce qu'il faudrait faire pour réformer les institutions européennes dans l'intérêt des populations, parce que ces thèmes relèvent du monopole d'experts, tout le monde a son mot à dire sur les *invités* qu'il reçoit ou qu'il désire recevoir. Il n'y a rien d'illégitime à cela. Et il ne viendrait à l'idée de personne de le contester ; sauf à avoir un rapport déréalisé au monde social et à l'histoire de la formation des États-nations.

Mais avoir son mot à dire ne signifie pas, loin de là, dire des choses en connaissance de cause. On peut proposer son opinion en toute méconnaissance des choses. Le fait n'est pas rare ; il est même assez fréquent, dans de nombreuses situations, à propos de nombreux domaines. L'immigration en est un exemple accompli, idéal-typique, pour reprendre la terminologie sociologique. L'immigration est à entendre dans son acception la plus large, celle qui a cours dans les médias, dans l'esprit des hommes politiques, du législateur, de l'enseignant, du policier, du militant, bien souvent du savant, du travailleur social, de l'assistante sociale, etc. Celle qui va du Pakistanais illégalement arrivé en France depuis peu, jusqu'au rappeur « beur » né en France, et n'ayant jamais vécu ailleurs que dans une des nombreuses banlieues françaises.

L'immigration se prête, peut-être plus que tous les autres objets de connaissance, à toutes les confusions et approximations, et à tous les excès. Dans le débat public, et c'est le seul dont on se souvient, il est possible de tout dire et son contraire, sans aucune sanction politique. L'important est de frapper les esprits par des formules choisies, des mots chocs, ou des phrases sentencieuses. C'est probablement le seul domaine politique où il faut savoir faire preuve de *virilité sociale*, bien avant de faire montre d'intelligence ou de pertinence analytique. C'est probablement le seul domaine où ce qui importe, ce n'est pas de retenir les leçons de l'histoire ou d'anticiper sur l'avenir, mais de coller au plus près aux résultats des sondages, aux représentations sociales spontanées et aux gains électoraux possibles.

Cet ouvrage s'écarte résolument du propos destiné à imposer un parti pris. Prendre parti, c'est l'activité ordinaire du citoyen, des partis, des associations, bref de tous les acteurs sociaux et de toutes les institutions qui ont partie liée à la production de l'opinion. Ce n'est pas non plus un livre de vérités sur l'immigration. Les ouvrages construits sur cette *croyance* sont plus qu'abondants dans ce domaine. Nous avons souhaité examiner des questions d'une grande complexité, et passablement embrouillées par les présupposés idéologiques, à la lumière des sciences sociales et des connaissances importantes et de qualité, accumulées depuis une vingtaine d'années sur l'immigration en France. Beaucoup d'affirmations sont énoncées chaque jour sur les populations étrangères qui ne reposent sur aucune réalité empirique, aucune *preuve*, aucune démonstration satisfaisante. Y voir plus clair et analyser aussi rigoureusement que possible la complexité des faits migratoires comme un des enjeux majeurs des relations internationales, telle est l'ambition de cet ouvrage.

"

IMMIGRATIONS ET DÉPLACEMENTS DE POPULATIONS

Des conséquences de la conquête de l'Australie

La colonisation européenne en Australie fut qualifiée par beaucoup, scientifiques, hommes politiques et défenseurs des droits de l'homme et des minorités, comme une véritable « catastrophe » pour les aborigènes : spoliation des terres, mépris de tous les droits, terres des aborigènes considérées comme « désertiques » et « inoccupées », création de « réserves », etc. En 1920, on ne comptait plus que 60 000 aborigènes, soit une baisse de 96 % de la population d'origine. Il vaut la peine de signaler qu'en mai 1997, sir Ronald Wilson, le président de la Commission australienne des droits de l'homme, déclarait sans ambiguïté : « Nous sommes convaincus que ce qui a été fait [à l'égard des aborigènes] correspond à la définition en droit international de génocide. » Ces propos venaient à la suite d'un rapport intitulé *National Inquiry into separation of Aboriginal and Torres strait islander children from their families*, qui révélait qu'entre 1880 et 1967, entre 40 000 et 100 000 enfants aborigènes avaient été retirés de leur famille, pour être élevés dans des familles australiennes (blanches), dans le cadre d'une volonté politique officielle d'« assimilation ». Aujourd'hui, l'Australie compte environ une centaine de « communautés culturelles » distinctes, réparties entre 4 000 organisations ethniques. D'après le recensement de 1991, la nation australienne se composait comme suit : 2,5 % des Australiens nés à l'étranger étaient originaires de Grande-Bretagne et d'Irlande ; 30 % étaient issus de pays européens ; 21 % provenaient d'Asie et du Proche-Orient.

« Des populations qui se déplacent n'augurent rien de bon. »

Celui qui appartient organiquement à une civilisation ne saurait identifier la nature du mal qui la mine. Son diagnostic ne compte guère ; le jugement qu'il porte sur elle le concerne ; il la ménage par égoïsme. Plus dégagé, plus libre, le nouveau venu l'examine sans calcul et en saisit mieux les défaillances.

Emil Michel Cioran, *La Tentation d'exister*, 1999

Les mouvements de populations ne se réduisent pas à des déplacements individuels ou collectifs dans l'espace géographique. Autrement dit, les migrations ne s'interprètent pas seulement en termes d'itinéraires ou de mobilités d'un pays à l'autre. Les migrants peuvent être aussi des conquérants ; des voyageurs partant à la découverte et à la conquête de « nouveaux mondes ». L'Amérique, le Canada et l'Australie en sont de parfaits exemples.

C'est en 1534 que le premier Européen, Jacques Cartier, aborde la côte atlantique du Canada, dans l'idée explicite d'y créer des colonies. Mais ce projet attendra et ne verra le jour qu'en 1601. C'est Samuel de Champlain, un autre Français, qui fondera la première colonie française d'Amérique du Nord, l'Acadie. Au bord du Saint-Laurent est bâtie la ville de Québec, et cette portion du territoire deviendra la « Nouvelle France ». Parallèlement à la colonisation française, les Anglais, à leur tour, entreprennent la conquête du Canada et entrent en guerre contre la

France. Le Canada est bel et bien le produit d'une double conquête d'immigrés européens, puisqu'il est la fusion de plusieurs colonies (françaises et anglaises) sous domination britannique. Les colons français qui refuseront la loi anglaise partiront s'installer en Louisiane, cet État des États-Unis où vivent encore leurs descendants.

L'hétérogénéité de la population canadienne reflète l'histoire de son peuplement. Le Canada est constitué de plusieurs peuples : certains sont socialement, culturellement et institutionnellement dominants : les Canadiens français (catholiques) et anglais (protestants). D'autres constituent une multiplicité d'ethnies amérindiennes, dominées sous tous les rapports (culturels, linguistiques, politiques, etc.). Seuls le Grand Nord du Québec et les territoires du Nord-Ouest restent l'espace réservé des Inuits. Aujourd'hui, les Indiens ne représentent plus qu'à peine 2 % de la population et vivent dans des « réserves ».

Ce que nous venons de dire pour le Canada vaut pour l'Australie, pays de conquête et de conquérants immigrés. L'Australie, avant l'arrivée des Européens, était peuplée depuis des milliers d'années d'aborigènes. D'après les historiens et les anthropologues, ces derniers seraient arrivés en Australie en provenance du Sud-Est asiatique, lorsqu'une période glacière provoqua une baisse du niveau des eaux entre l'Australie (détroit de Torres) et l'île de la Nouvelle-Guinée. L'effet immédiat aurait été la création d'une voie terrestre permanente entre les deux continents. Le même phénomène aurait eu lieu entre l'Australie et l'île de Tasmanie, à l'emplacement de l'actuel détroit de Bass (au sud de Melbourne).

L'Australie, telle que nous la connaissons aujourd'hui, est le produit de l'histoire de la colonisation européenne venue dans ce pays par vagues migratoires successives. Le continent australien fut en premier lieu abordé par des Hollandais en 1605. L'année suivante, les Espagnols franchirent le continent par le détroit de Torres, du nom de son conquérant Luis Vaez de Torres. En 1642-1643, de nouveau, un Hollandais du nom de Tasman découvre l'île de Tasmanie, qui s'appelait alors Terre de Van Diemen. L'épopée du peuplement blanc ne s'arrêtera pas là. À la fin du XVIIe siècle, l'Anglais Dampier atteint la côte ouest du continent nommé à l'époque Nouvelle-Hollande. Mais son exploration et sa conquête totale commencèrent en réalité vers les années 1770, avec le navigateur anglais James Cook, au nom du roi d'Angleterre.

Quant aux États-Unis, la littérature concernant l'histoire de leur peuplement est maintenant très abondante. Les États-Unis, comme le Canada et l'Australie, sont nés de la colonisation et de l'immigration européenne. Mais c'est aux États-Unis que l'immigration est perçue et élevée au rang de mythe fondateur de la nation américaine. Les Britanniques (80 %) constituent les premières et plus importantes vagues migratoires du XVIIIe siècle. Ce n'est qu'au fil du temps que les Allemands, les Nordiques et les Hollandais seront de plus en plus nombreux.

Les historiens et les géographes de l'immigration distinguent trois grandes phases dans l'évolution de l'immigration aux États-Unis (pour une analyse plus complète, on se reportera à Gildas Simon, *Géodynamique des migrations internationales dans le monde*, 1995). Première phase, celle de la reconstruction après la guerre de Sécession (1860-1865), qui fit environ 400 000 victimes. On assiste alors à un mouvement d'immigration sans précédent : entre 1880 et 1921, environ 27 millions de personnes entrent légalement en Amérique, contre 10 millions entre 1820 et 1880. Le déclenchement de la Première Guerre mondiale, les attaques des navires par les sous-marins allemands, l'engagement du Canada et des États-Unis ralentissent très fortement les flux migratoires en direction de ce pays. En 1917, seules 100 000 personnes intègrent légalement les États-Unis.

La seconde phase (1921-1945) est celle d'une conjonction de deux faits majeurs. Celui, d'une part, d'un « isolationnisme » de l'Amérique, traduit par la mise en place d'un « système de quotas selon les origines nationales », qui ne fut réellement mis en place qu'à partir de 1929. Celui, d'autre part, de la grande crise de 1929. L'effet automatique de ces deux évènements politique et économique se traduit par un ralentissement très net des flux d'entrées aux États-Unis : moins de 50 000 personnes par an de 1931 à 1938. Enfin, la troisième phase est celle d'une réouverture progressive de l'espace américain aux immigrés depuis 1945. Le nombre considérable de victimes de la Seconde Guerre mondiale, avec son flot de personnes déplacées, de réfugiés et d'apatrides modifient la politique migratoire américaine : à la politique des « quotas », on substitue la politique des « préférences nationales », c'est-à-dire des nationalités que l'on souhaite faire venir en Amérique.

Nous avons jugé nécessaire de mentionner le facteur décisif de l'immigration et des mouvements migratoires dans le processus de construction nationale et de peuplement de ces trois pays pour mieux éclairer les différences historiques, sociologiques et culturelles en matière de droit de visite et de droit de séjour des étrangers dans l'ordre national. Il y a une opposition entre les différentes conditions d'immigrés, selon que le pays s'est constitué pendant que l'immigration se faisait (le cas des USA), ou qu'il s'agit des « vieilles » nations européennes, dont la France est probablement le pays le plus représentatif. La représentation de l'immigré (ou de celui qui veut « entrer ») et, plus largement et plus politiquement, la gestion des entrants, des sortants et des « installés dedans » peuvent pertinemment s'apprécier au travers de la métaphore du « club » ou du « club-nation », selon la formule du sociologue Abdelmalek Sayad. Appliquée au cas français, cette métaphore évoque le club le plus assuré qui soit, le plus sûr de lui-même et le plus fortement institué. C'est lui qui, de la façon la plus exemplaire, illustre la manière d'entrer dans ce club, d'y séjourner, de s'y mouvoir, et aussi à quel prix se paient le séjour, le cheminement de l'intérieur, etc. (Abdelmalek Sayad, « Les maux à mots de l'immigration », Entretien avec Jean Leca, *Politix*, n° 12, 1990). Les lois et tous les règlements sur l'immigration sont, à leur manière, une série de frontières visibles et invisibles, qui délimitent l'espace du « club » et les conditions pour y entrer, et en définitive, pour y demander son adhésion. Pour un « club » relativement nouveau comme les États-Unis, qui s'est constitué et a fondé sa « force » sur l'immigration, la réalité migratoire n'a jamais fait l'objet de dénégation et de dissimulation. Tel n'est pas le cas pour un pays comme la France. Pour cette « vieille » nation, la dénégation et la dissimulation, voire l'omission de la réalité migratoire furent, au contraire, constituées en une véritable posture nationale et étatique. Cette illusion ou cette cécité expliquent que pendant très longtemps, l'immigration en France ne fut pensée que comme une affaire de *présence provisoire*, réductible à l'ordre de l'économique et du travail.

« Les mouvements migratoires remettent en cause les identités nationales. »

*Tant qu'il y aura des nations, il y aura des migrants.
Qu'on le veuille ou non, les migrations continueront,
car elles font partie de la vie.
Il ne s'agit donc pas de les empêcher, mais de mieux les
gérer et de faire en sorte que toutes les parties coopèrent
davantage et comprennent mieux le phénomène.
Les migrations ne sont pas un jeu à somme nulle.
C'est un jeu où il pourrait n'y avoir que des gagnants.*

Kofi Annan, *Le Monde*, 9 juin 2006

Pour commencer ce chapitre, arrêtons-nous un court instant sur un texte de référence abordant la relation fondamentale entre deux formes de déplacements sur la surface de la terre : celui du droit de visite et celui du droit de résidence. Ce texte, intitulé *Vers la paix perpétuelle* a été écrit par Emmanuel Kant en 1795. Que nous dit Kant ? Que la terre appartient à tout le monde et qu'elle peut être *visitée* sans restriction aucune, « en vertu du droit de la commune possession de la surface de la terre ». *La commune possession* de celle-ci se traduit non par une hospitalité aléatoire ou conjoncturelle, qui dépendrait du bon vouloir de l'occupant des lieux, mais d'un *droit de visite* que l'étranger serait en droit de réclamer le plus naturellement du monde, en tant que citoyen du monde. Ce droit de visite ne l'autorise nullement, ajoute Kant, et cette précision est capitale, à prétendre à un droit de résidence. Celui-ci ne dépend pas des désirs, des motivations, des goûts esthétiques ou politiques de chacun, quel que soit leur degré de légitimité. Le droit de résidence est par excellence un acte de souveraineté de l'État ; une volonté universelle de l'État souverain, qui n'est souverain que parce qu'il est le seul qui ne règle sa domination « par aucun autre principe que sa propre loi ». Le droit de résidence est une affaire d'État qui concerne la nation, en même temps qu'une affaire de l'État qui touche à sa souveraineté. Ce droit est du seul ressort des États et ne peut faire l'objet d'un accord qu'entre les États. Ainsi Kant oppose-t-il ces deux droits. L'un, le droit de visite, illimité et offert à chacun sur toute la *surface de la terre* ; l'autre, le droit de résidence, restrictif et donc forcément discriminatoire, défini en toute légitimité par les États, dans le cadre d'accords qu'ils auront négociés. Le refus, pour Kant comme d'ailleurs pour les États, de faire du droit de résidence une hospitalité offerte à tous, sans *a priori* et sans condition, tient au fait que la surface de la terre est constituée d'espaces habités, appropriés, possédés, dotés de peuples-propriétaires.

Prendre possession de l'espace, l'occuper et l'aménager en fonction de ses intérêts et de sa sécurité, toutes ces activités qui, toujours, s'inscrivent dans le long terme, n'ont pu être menées à bien que par d'incessantes migrations et mouvements de populations. Si, au Moyen Âge, les frontières sont à la fois imprécises et mouvantes, résultant plutôt de guerres gagnées ou perdues, ou d'alliances entre pouvoirs, aujourd'hui quasiment tous les États, en particulier les plus riches, ne cessent conjointement ou séparément de réglementer la circulation des personnes et de sélectionner l'admission de ces dernières sur le territoire national. On peut affirmer sans risque d'erreur que l'histoire de la formation des nations, c'est l'histoire des migrations, quelle que soit la nature de ces migrations : forcées ou voulues. Il n'y a pas de siècles sans déplacements de populations : les travaux des historiens, des anthropologues, des linguistes, des paléontologues ainsi que ceux des archéologues nous ont montré que les migrations humaines sont un fait constant et majeur dans la constitution des sociétés et des cultures.

Il suffit simplement de penser aux conquêtes militaires qui ont jalonné les sociétés depuis la nuit des temps. De la formation de l'Égypte des pharaons, rendue possible par la fusion de nombreuses ethnies venues d'Asie et d'Afrique, en passant par les conquêtes arabes, qui prirent fin avec la domination ottomane. Celle-ci durera trois siècles (de 1517 à 1830) puis laissera à son tour la place aux Anglais et aux Français. Au moins jusqu'au XVIIIe siècle, la réalité dominante est celle de migrations, pouvant se constituer et se déplacer sans grandes entraves. Aussi n'est-il pas exagéré de dire qu'avant l'apparition des États-nations au XIXe siècle, la migration était régulière ; ce sont les États-nations qui ont inventé, avec la frontière (au sens moderne, c'est-à-dire un tracé officiel qui inclut et exclut de la nation), la migration irrégulière ou l'immigré clandestin.

C'est avec la formation de l'État-nation et sa traduction objective sous la forme du territoire, de la frontière et de la nationalité, que la question de la gestion des flux migratoires se pose sous un jour nouveau. Le droit de visite et le droit de résidence des étrangers deviennent alors des enjeux d'une grande importance pour les États. Pas seulement dans le domaine strict du contrôle et de la surveillance de la circulation de non-nationaux dans l'espace national, mais aussi dans ceux considérés comme vitaux pour l'identité des peuples : la langue, la culture, la religion, la sécurité intérieure, etc. Le XXe siècle est, de ce point de vue, le siècle de la fin des empires coloniaux et donc de la multiplication des espaces nationaux délimités par autant de frontières nationales. Mais aussi celui du découpage politique et géopolitique de la planète : nous sommes passés d'une cinquantaine d'États au début du XXe siècle à plus de deux cents en 2001. Si aujourd'hui les sociétés les plus développées redoublent d'imagination juridique et technologique pour dissuader toute entrée illégale de migrants, elles semblent oublier qu'il n'y a pas si longtemps, c'était bien de l'Europe que partait le plus grand nombre de personnes. Entre 1846 et 1939, plus de 50 millions d'émigrés européens sont allés peupler ou se réfugier dans les espaces du « nouveau monde » et les territoires coloniaux, faisant de l'Europe « le plus grand foyer de départ jamais connu dans l'histoire des hommes » (Gildas Simon, *Géodynamique des migrations internationales dans le monde*, 1995). Les deux guerres mondiales et la fin des empires coloniaux ont provoqué, au cours du XXe siècle, des exodes et des déplacements contraints de populations jamais vus jusqu'alors. Excepté pour la France, quasiment tous les pays européens présentaient un solde migratoire négatif, en particulier la Russie, le Royaume-Uni, l'Italie et l'Espagne.

Aujourd'hui, les flux migratoires dominants vont du Sud vers le Nord. L'Amérique du Nord accueille surtout des migrants en provenance de l'Amérique latine, de l'Asie de l'Est et du Sud-Est. L'Europe occidentale reçoit des populations issues essentiellement d'Afrique du Nord et d'Afrique subsaharienne. Vers l'Australie convergent des immigrés d'Asie du Sud-Est. Enfin, on l'oublie trop souvent, les pays pétroliers ont vu se constituer une très importante immigration en provenance de Syrie, d'Irak, d'Égypte, outre des Palestiniens et des personnes originaires du Sud et du Sud-Est de l'Asie. Les facteurs de formation des champs migratoires résident essentiellement dans la proximité géographique et le passé historique existant entre les pays d'émigration et les pays d'immigration. Ces liens de domination et d'échanges (culturels, linguistiques, etc.), tissés au cours de l'histoire, expliquent les itinéraires des migrants et les choix effectués pour tel ou tel pays de destination : les Algériens vers la France, les Latino-Américains vers les États-Unis, les russophones de l'Asie centrale ex-soviétique vers la Russie, etc.

Mais la configuration que nous venons de décrire s'est beaucoup complexifiée depuis les années quatre-vingt. Si les flux migratoires continuent pour l'essentiel de venir du Sud, nous assistons néanmoins à une double transformation. Tout d'abord, dans la composition sociologique des flux. L'immigration de travail a pendant longtemps été une immigration d'hommes relativement jeunes, entre 20 et 35 ans. Mais à cette réalité se subsitue une tendance à l'équilibre entre les sexes : la place des femmes augmente très nettement, notamment par l'intermédiaire du regroupement familial. Nous assistons ensuite à une transformation géographique des itinéraires, faisant de certains pays des zones à la fois d'émigration, de transit et d'immigration. L'extension des pôles de départ, la diversification des flux et leur mondialisation au détriment de relations de pays à pays (les Marocains vont en France, mais aussi en Hollande, en Angleterre, en Italie, en Espagne, aux USA), conjuguées à un renforcement continu des dispositifs de contrôle de l'espace Schengen, sont autant de facteurs qui rendent les itinéraires migratoires (en particulier ceux des clandestins) particulièrement aléatoires. Les voyages sont de plus en plus longs et incertains, et toujours plus coûteux financièrement. Ce double phénomène explique alors l'apparition d'une nouvelle configuration des flux migratoires, se présentant sous formes de zones géographiques incluant des pays de transit et d'installation possible. La traditionnelle distinction entre pays d'émigration et pays d'immigration tend à s'effacer au profit de combinaisons beaucoup plus complexes. Le Maroc, l'Algérie, la Libye, la Turquie, le Niger, le Sénégal, la Malaisie voient se combiner flux de départ de nationaux, installation plus ou moins longue d'immigrés en transit, accueil temporaire de main-d'œuvre étrangère, et protection des réfugiés.

Bien entendu, la question sans cesse à l'esprit à propos des déplacements de populations est de savoir si les mouvements migratoires remettent en cause les identités nationales. Cette interrogation n'est pas propre aux mouvements nationalistes ou xénophobes. Elle traverse toutes les classes sociales et tous les partis politiques, avec plus ou moins de sérénité. Lors d'une modification de la loi sur l'entrée et le séjour des étrangers en France ou ailleurs, l'État et le législateur, que ce dernier soit de droite ou de gauche, ne font jamais totalement abstraction de cet enjeu. C'est même l'enjeu implicite fondamental de cette question. L'opposition entre national et étranger structure la vision et la division du monde de chacun et de tous, hommes politiques, militants, élus, chercheurs, ou simples citoyens. Cette interrogation n'est pas illégitime en soi : dans toutes les sociétés où il existe une présence jugée problématique ou quantitativement importante d'immigrés, les débats sont nombreux et traversent toutes les sensibilités politiques et idéologiques. Mais ils ne doivent jamais faire perdre de vue, sous peine de sombrer dans une posture démagogique et électoraliste, que les mouvements migratoires sont une donnée constitutive de toutes les sociétés, mais aussi de toutes les identités nationales. Il n'existe pas de société pure ou de race pure. Cela est aujourd'hui généralement admis. La question n'est donc plus celle de la remise en cause de l'identité nationale. Mais l'enjeu devient celui de l'articulation et de la tension entre l'évolution du régime républicain et l'intégration des populations immigrées aux modèles socioculturels dominants de la société. Évolution ne signifie pas destitution, et intégration ne signifie pas reniement. Ce qui doit être impérativement préservé et donc inaccessible à une quelconque négociation, c'est le fondement du régime républicain : une conception égalitaire des rapports entre les hommes et les femmes, la laïcité comme mode de gestion de la pluralité des croyances sociales et religieuses, la tolérance politique et l'accès pacifique et démocratique au pouvoir d'État, l'égalité des droits dans tous les domaines.

La République ne doit pas, à son tour, penser qu'elle se renie ou qu'on lui demande de se renier lorsqu'elle est interpellée sur des questions graves et toujours d'actualité : pourquoi l'égalité reste-t-elle toujours théorique ? Pourquoi les femmes ne sont-elles pas traitées comme les hommes en matière d'emploi, de salaire et d'éligibilité ? Pourquoi, quand on s'appelle Ali ou Diallo, obtenir un emploi ou logement est-il beaucoup plus difficile que pour le reste de la population ? Pour autant, il vaut la peine de noter que le rapport de la société française à son immigration, là aussi contrairement à une idée reçue, s'est relativement apaisé depuis une quinzaine d'années. En témoignent les débats sur la ville, les discours politiques plus mesurés, la lutte contre les ghettos, la grande diversité dans la production culturelle, la maturité politique des médias dans le traitement de l'immigration, les politiques de discrimination positive, la reconnaissance de l'immigration comme composante de l'histoire et du peuple de France.

« Les immigrés et les réfugiés du Nord viennent tous des pays du Sud. »

(...) Il faut donc qu'ils se supportent les uns à côtés des autres, personne n'ayant originairement le droit de se trouver à un endroit de la Terre plutôt qu'à un autre.

Emmanuel Kant, *Projet de paix perpétuelle, esquisse philosophique*, 1795

Les pauvres qui constituent la moitié Sud de la planète savent toujours et avec certitude où se trouvent les pays riches. Mais le savoir ne suffit pas pour y accéder. Plus encore, ce n'est pas parce qu'on sait où se trouvent l'abondance économique et une relative sécurité qu'on ne pense qu'à s'y précipiter coûte que coûte et en masse. Il importe aussi de préciser en premier lieu que contrairement à la représentation spontanée des déplacements des populations, les migrants, les réfugiés et les demandeurs d'asile ne représentent, dans le monde, qu'entre 130 et 170 millions de personnes au cours des années quatre-vingt-dix (voir Nations unies, *World Populations Prospects, The 2000 Révision*, New York, 2001). Soit uniquement 2 à 2,5 % de la population mondiale. Nous sommes donc loin de l'image d'une planète agitée par d'incessants déplacements et un désir universel de mobilité géographique. Par ailleurs, une attention rigoureuse à la réalité structurelle et statistique des mouvements de populations, ceux qui sont sources de polémiques politiques et d'anxiété sociale, montre que c'est une minorité de la population mondiale qui cherche et trouve un refuge ou un confort minimum dans un pays industrialisé.

Si les chiffres sont toujours un objet de controverses et d'enjeux politiques, il est possible d'appuyer cette affirmation en donnant quelques ordres de grandeur relativement peu contestables. Selon les statistiques publiées en 2006 par le Haut Commissariat des Nations unies pour les réfugiés (« Réfugiés, Tendances mondiales en 2005 », 2005), le nombre total de personnes « déracinées » a approché, en 2005, les 21 millions. Cette comptabilité reste incomplète car il faut y ajouter, pour avoir une plus juste mesure du phénomène, les 20 à 25 millions de personnes déplacées dans leur propre pays. C'est le cas, entre autres, de 2 millions de personnes au Congo-Kinshasa, 4 millions au Soudan, plus de 1 million en Indonésie, environ 2 millions en Colombie, etc. Les statistiques de 2005 montrent que cinq nationalités représentent près de la moitié de la population qui relève de la compétence du HCR : les Afghans (2,9 millions) ; les Colombiens (2,5 millions) ; les Irakiens (1,8 million) ; les Soudanais (1,6 million) et les Somaliens (839 000). Avec plus de 2 millions de déplacés internes, la Colombie accueille la plus grande population de personnes déracinées relevant du mandat du HCR, suivie par l'Irak (1,6 million), le Pakistan (1,1 million), le Soudan (1 million) et l'Afghanistan (912 000). Par ailleurs, le HCR précise, toujours dans le même rapport, que ce sont quelque 6,6 millions de « personnes déplacées » à l'intérieur de leurs frontières nationales, qui vivent dans 16 pays. Il est à noter, à ce propos, qu'en un an, la situation s'est sensiblement aggravée : en 2004, ils étaient 5,4 millions de « déplacés internes » à vivre dans 13 pays.

Quant aux Palestiniens, ils constituent un groupe de réfugiés spécifique de 4,3 millions. Ils relèvent de la responsabilité de l'Office de secours et de travaux des Nations unies pour les réfugiés de Palestine dans le Proche-Orient (l'UNRWA). Les 6,6 millions de « déplacés internes » que le HCR a placés sous son mandat représentaient, en 2005, 32 % des 20,8 millions de personnes relevant de sa compétence. Ces « déplacés internes » constituent la seconde population la plus importante après les réfugiés (40 %). Les 28 % restants incluent les personnes rapatriées, réfugiées et déplacées (1,6 million) ; les demandeurs d'asile (773 000) ; les apatrides (2,4 millions) et diverses populations dans l'impossibilité de déposer une demande d'asile, mais qui auraient, selon le HCR, besoin d'une protection (960 000). En 2000, un pays comme l'Afghanistan comptait 2 601 400 réfugiés, dont 1 325 700 en République islamique d'Iran et 1 200 000 au Pakistan. La Somalie comptait 496 000 réfugiés, dont 180 900 en Éthiopie et 141 000 au Kenya. Toujours pour la même année, la Sierra Leone dénombrait 487 200 réfugiés, dont 370 600 en Guinée et 96 300 au Liberia. Ces pays d'où partent les réfugiés et ceux qui les accueillent, de gré ou de force, n'ont jamais été qualifiés de pays riches et n'ont jamais été classés parmi les plus puissants de la planète. Il y a d'ailleurs comme une sorte de fatalité historique dans la distribution spatiale des populations qui fuient la misère et la guerre : les moins riches et les moins puissants accueillent les étrangers les plus démunis.

Ce qu'il importe de retenir de ces chiffres un peu froids et abstraits mais recouvrant de dramatiques réalités, c'est que les pauvres, les migrants forcés d'émigrer et les persécutés, sont dotés d'un pouvoir de circulation extrêmement faible et aléatoire. Dans leur écrasante majorité, les pauvres et les démunis trouvent refuge, volontairement ou non, chez ceux qui, socialement, partagent leur condition. Celles et ceux qui portent la désolation, l'arbitraire, la peur et la guerre dans leur *humanité* (dans leur corps et leur vie quotidienne) ne se transportent jamais bien loin de chez eux. Ils vont là où leurs maigres ressources physiques et matérielles peuvent les mener, c'est-à-dire généralement dans un pays voisin aussi pauvre et aussi troublé socialement et militairement que celui qu'ils viennent de quitter. Et le refuge, dans ce cas, est sans sécurité ni protection assurées. Ces dizaines de millions de réfugiés ou assimilés constituent non seulement une immigration sans droits, instrumenta- lisée comme une masse de manœuvre au profit de velléités hégémoniques nationales ou régionales. Le cas de la Libye avec les immigrés tchadiens est un exemple parmi d'autres. Mais surtout leur *perma- nence biologique* est, au sens strict, maintenue grâce à l'assistance d'organisations internationales ou d'ONG. Tel est le cas au Darfour pour les millions de Soudanais déplacés de force, vivant dans des camps, dans leur propre pays.

Pour les régions du Nord, ce ne sont pas les moins riches mais les plus petits pays qui accueillent, com- parativement, le plus de réfugiés et de demandeurs d'asile. Certes, la France a été, en 2004, le pays qui a reçu le plus de candidats à l'asile, avec environ 61 600 demandes. Mais c'est la première fois. Cette position a relégué les États-Unis à la seconde place, avec 52 400 demandes. Le Royaume-Uni est devenu le troisième pays, avec 40 200 demandes. Quant à l'Allemagne, terre d'asile la plus importante en Europe pendant de nombreuses années, elle occupait en 2004 la quatrième place, avec 35 600 demandes. Enfin, le Canada, grand pays d'immigration, a occupé la cinquième place avec 25 500 dossiers. Mais il faut aller au-delà de ces chiffres, et mettre en relation des données que l'on ne relie jamais spontanément dans nos sociétés : celle du nombre de demandeurs d'asile rapportée à la superficie du pays d'accueil, évaluée en nombre d'habitants. On s'aperçoit alors que la réalité est différente. « Sur la base d'une référence *per capita* utilisée par le HCR depuis cinq ans, Chypre, l'Autriche, la Suède, le Luxembourg et l'Irlande se situeraient au premier rang des pays d'accueil des 25 membres de l'UE, avant le Royaume-Uni, la France et l'Allemagne » (*News*, UNHCR, 17 juin 2005).

Ces contrastes très importants dans la distribution statistique des personnes contraintes au déplacement entre le Nord et le Sud, traduisent objectivement, et cette dimension n'est quasiment jamais mentionnée, un esprit d'État différent, pour ne pas dire opposé, en matière d'accueil et de gestion politique des étrangers, quel que soit leur statut juridique. Les préoccupations et les difficultés auxquelles sont confrontés les pays du Nord et les pays du Sud, c'est un euphémisme, ne sont pas de même nature ni de même ampleur.

Dans les pays où existent des camps de réfugiés ou des immigrés sans droits, comme massivement en Afrique et dans les pays du Golfe et du Moyen-Orient, le contrôle des entrées, du séjour et des expulsions des étrangers s'effectue toujours au moyen de procédures et de mécanismes collectifs bien souvent fondés sur une violence d'État. Ici, les États ne voient venir à eux (ou ne renvoient) que des populations qu'ils perçoivent et dénombrent toujours sous forme de « flux de déplacés », de « colonnes de réfugiés », de « flots de migrants », de « quartiers de clandestins », de « camps », etc. Pour nos sociétés, les choses se présentent et sont présentées différemment. Les pouvoirs publics français, par exemple, ont à leur disposition des *pouvoirs légitimes* de sélection et d'admission en matière d'immigration. Juridiquement ne sont autorisés à séjourner en France que les personnes admises dans le cadre du regroupement familial (avec la demande d'asile, ce sont là les deux modes d'entrée dominants sur le territoire français aujourd'hui), de l'emploi, d'une scolarité ou pour des raisons humanitaires. L'esprit d'État qui domine cette gestion des flux migratoires repose fondamentalement sur une capacité de prévoir en droit ce dont la France a « besoin » en matière d'immigration et d'immigrés.

Bien entendu, cette prévision en droit n'est pas sans difficultés. Examiner des *demandes d'hospitalité* (droit de séjour ou droit d'asile) pour le gouvernement d'une société démocratique ne revient pas simplement à appliquer la législation ou le droit international. Depuis quelques années, on ne cesse de chercher à savoir si le demandeur d'asile est un cas singulier de persécution ou s'il n'appartient pas plutôt à la catégorie des « migrants économiques ». Logique de reconnaissance individuelle ou logique de « stock » ? D'assistance politique ou de coût économique ? En pratique, comment faire la différence ? Un homme, appartenant à une minorité persécutée, qui décide de quitter sa famille et choisit de demander l'asile dans un pays riche, où il pourra se protéger et venir en aide aux siens, est-il un « réfugié économique » ? Si une femme d'un pays islamique, membre d'un groupe religieux considéré comme hérétique, rejoint son époux émigré en France, est-elle une « réfugiée » ou une « migrante » sollicitant le regroupement familial ? etc. Bien souvent, dans un trop grand nombre de pays du Sud, ces questions n'effleurent même pas l'esprit des gouvernants.

LES IMMIGRÉS ET L'IMMIGRATION

Les différentes phases migratoires en France

L'histoire de l'immigration en France date du XIXe siècle. Tout d'abord, il importe de ne pas oublier que c'est au sein de la société française qu'ont lieu les premiers déplacements de populations au profit de l'industrialisation. L'exode rural poussa les paysans vers la ville et fit d'eux pratiquement la moitié des actifs ouvriers de l'univers industriel. Puis viendra une première vague de migrants de pays voisins, essentiellement des Belges et des Italiens.

C'est après la Première Guerre mondiale qu'on assiste à l'élargissement de l'ère de recrutement des immigrés (Polonais, Yougoslaves et Hongrois), et à une plus grande organisation institutionnelle patronale et étatique dans la gestion de la main-d'œuvre des étrangers. Des milliers de Polonais accompagnés de femmes et enfants furent ainsi « transplantés » en France dans l'agriculture et les mines du Nord. En 1930, environ 3 millions d'étrangers vivent et travaillent en France, soit 6 % de la population française.

La configuration migratoire se modifie sensiblement avec et après la Seconde Guerre mondiale. Les Espagnols et les Portugais, et non les Maghrébins, constituent les contingents les plus importants d'immigrés. Dans les années cinquante, l'immigration des travailleurs espagnols atteint son niveau le plus haut avec 64 000 entrées en 1964, puis décline irréversiblement. Quant aux Portugais, si on compte 43 000 entrées en 1964, ils deviennent, en 1970, l'immigration la plus importante avec 88 000 entrées. Ce n'est qu'après 1973 que le rythme s'infléchit, pour disparaître en tant que mouvement migratoire avec l'entrée du Portugal dans l'Union européenne.

Aujourd'hui, les Africains du Nord et du Sud du Sahara occupent le premier rang des flux migratoires en France. De 1990 à 2001, si leur nombre annuel en valeur absolue connaît quelques modifications, elles ne remettent pas en cause la position du continent africain comme première source d'entrée sur le sol français.

« Les immigrés sont tous sans qualification et ne veulent pas travailler. »

Les niveaux de formation des nouveaux migrants s'élèvent constamment en raison des progrès de l'instruction dans les pays d'origine et des exigences croissantes de qualification dans les pays d'emploi.

Gildas Simon, *Population et sociétés*, septembre 2002

« Nous ne pouvons pas accueillir toute la misère du monde. » Cette phrase est devenue une expression du sens commun ; elle n'appartient plus à son auteur, elle fait dorénavant partie, pour la récuser ou l'approuver, des tics de langage de tous ceux qui ont quelque chose à dire sur l'immigration. Si, à l'origine, cette déclaration avait pour vocation de frapper les esprits, elle s'est vite transformée en vérité sociologique pour un grand nombre de responsables politiques. Sa longévité et son apparent *bon sens* tiennent au fait qu'elle traduit, à sa manière, des réalités dont on pourrait dire que si elles ne sont pas fausses, elles ne sont pas pour autant vraies.

Du début du XXe siècle jusqu'à la fin des années soixante-dix, l'immigration est une immigration de travail et majoritairement d'hommes seuls. Sa fonction économique est indéniable, et elle n'est quasiment jamais remise en cause. Un immigré, quelle que soit sa nationalité, était (et reste) d'abord et avant tout une force de travail au service de l'expansion économique des pays industrialisés. L'*homo economicus* était ce qui constituait l'identité principale du travailleur étranger.

Aussi, cette période historique (moitié du XIXe siècle jusqu'à la fin des années soixante-dix) rendait impensable une expression telle que « La France ne peut pas accueillir toute la misère du monde ». Tout simplement parce que la logique dominante, en matière de gestion de l'immigration, était celle de l'offre et de la demande économique, en un mot celle de la rentabilité à court et moyen terme. Mais un autre facteur très puissant permettait de ne pas penser la présence des immigrés en termes de « misère » : la conviction généralement partagée (par les immigrés et par la population française, autorités incluses) que tous les immigrés n'étaient que de passage en France, que leur séjour était provisoire. Qu'ils n'étaient pas là pour vivre en France, mais seulement pour y travailler. Une présence toute conditionnée par le travail et sa disponibilité.

C'est quand le travail devint un *bien rare*, avec la crise économique de la fin des années soixante-dix, que la question de son partage s'est posée. À qui devait être distribué en priorité ce *bien rare* ? La réponse ne faisait aucun doute : aux nationaux. Telle fut la philosophie de la décision prise en 1973, mettant un terme à l'accueil des immigrés sur le territoire français. Mais la fermeture des frontières décrétée, les flux migratoires n'ont pas pour autant disparu. Se sont alors instituées deux modalités d'accès au territoire français : l'immigration légale et l'immigration illégale. La première n'a jamais cessé : entre 1990 et 2001, on recense environ 1,36 million d'entrées légales, soit une moyenne légèrement inférieure à 115 000 entrées par an. C'est la venue de familles, dans le cadre du regroupement familial, qui a constitué le motif principal d'immigration en France. La seconde, l'immigration illégale, composée principalement de sans papiers a, quant à elle, suscité de nombreuses controverses. C'est à son propos que le langage politique s'est enrichi, entre autres, d'expressions comme « La France ne peut pas accueillir toute la misère du monde ».

Pourtant, quand on se donne la peine d'observer sans *a priori* idéologique d'un peu plus près les propriétés sociologiques et biographiques de ces diverses populations censées incarner « la misère du monde » (c'est-à-dire principalement les sans papiers et les clandestins), on s'aperçoit que la réalité est tout autre. Prenons trois exemples à des moments différents et à propos de populations distinctes.

Voyons tout d'abord les personnes ayant fait l'objet de la dernière régularisation en France, en 1998. Sur les 207 personnes interviewées (François Brun, Smaïn Laacher, *Situation régulière*, Centre d'étude de l'emploi, L'Harmattan, 2001), seules 13 d'entre elles n'avaient jamais été scolarisées (toutes venues d'Afrique). Plus de 60 % des personnes interrogées (presque tous les Chinois, mais un tiers seulement des Maliens) ont été à l'école 6 ans et plus. Enfin, 10 % ont entrepris des études supérieures (aucun Malien, aucun Turc). Moins de la moitié de l'échantillon avait appris le français avant de venir en France. La connaissance de cette langue est en fait la résultante à la fois du niveau scolaire et de sa place dans la contrée d'origine. Enfin, un peu moins de 60 % des personnes rencontrées étaient actives dans leur pays d'origine au moment du départ, les autres se répartissant à peu près également entre élèves ou étudiants et sans aucune activité.

L'autre exemple est celui des migrants clandestins passés par le centre d'accueil de Sangatte, de 1999 à 2002. Seuls étaient partis les moins pauvres, afin de mener à bien ce qui avait été stoppé ou interdit dans leur pays : des études, une activité artistique, littéraire ou journalistique, un commerce, l'exercice d'une profession libérale, ou simplement un métier qualifié, ou encore le souhait d'offrir une bonne scolarité à ses enfants, etc. Cette perspective est confirmée sans ambiguïté par la durée de la scolarité antérieure et le statut professionnel des personnes rencontrées à Sangatte. Quasiment toutes ont été scolarisées dans leur pays d'origine, jusqu'à des niveaux non négligeables, étant donné l'état des infrastructures scolaires et éducatives, en particulier en Iraq et en Afghanistan. Sur les 284 personnes constituant l'échantillon, près de 40 %, toutes nationalités confondues, étaient diplômées du secondaire et de l'enseignement supérieur. Cette formation scolaire remarquable se traduit objectivement dans la distribution des professions. La majorité a exercé principalement et schématiquement dans quatre champs d'activités : « commerçants artisans » (30,6 %) ; « ouvriers » (13 %) ; « professions intellectuelles et libérales » (12 %) ; « employés » (8,5 %). Ceux qui se sont déclarés étudiants représentent 18,3 %. Ceux qui n'ont indiqué aucune profession n'étaient que 17 (6 %).

Enfin, dernier exemple en date, les informations livrées par la mission technique de la Commission européenne sur l'immigration illégale effectuée du 7 au 11 octobre 2005 à Ceuta et à Melilla, au Maroc. Sur 95 Subsahariens en situation irrégulière, la mission rapporte que 9 n'avaient pas été scolarisés, mais que 16 avaient fait des études secondaires, 14 disposaient du Baccalauréat et 23 avaient effectué des études universitaires ou équivalentes.

Sans aucun doute, cette immigration dotée de qualités scolaires et professionnelles est appelée à se confirmer et à s'amplifier. Dans les années à venir s'estompera la figure du travailleur immigré, celle bien connue des Trente Glorieuses, pour laisser la place à une migration plus qualifiée et plus spécialisée. C'est parmi ces populations que le « désir » de partir à l'étranger, provisoirement ou non, est et restera le plus durable.

« Ceux qui viennent chez nous fuient tous la misère. »

> *Mon idéal, ce serait de travailler tranquille,*
> *de manger toujours du pain, d'avoir un trou*
> *un peu propre pour dormir, vous savez un lit,*
> *une table et deux chaises, pas davantage...*
>
> Émile Zola, *L'Assommoir*, 1877

Si on regarde, de haut et de loin, les immigrés et plus particulièrement les candidats à l'immigration, il ne fait pas de doute qu'ils constituent une seule et même population. Autrement dit, tous les immigrés, non seulement se ressemblent, mais arrivent toujours sur notre sol en même temps, par avion, par terre, ou bateau, avec des intentions identiques : fuir la misère qui ravage leur pays. Cet effet d'homogénéisation sociale et intellectuelle est dommageable à une compréhension à la fois fine et objective de la diversité des motivations qui président au départ de chez soi. Si, du XIXe siècle jusqu'aux années soixante-dix, l'immigration était principalement une immigration de travail composée en majorité d'hommes seuls, depuis la fin des années quatre-vingt, nous assistons à une diversification des flux migratoires et, l'une ne va pas sans l'autre, à une diversification des motifs d'immigration.

Si ces populations proviennent le plus souvent de régions qui n'ont pas atteint, loin de là, les niveaux de vie des pays capitalistes développés, cela ne signifie pas automatiquement qu'elles ont quitté leurs pays pour des raisons « économiques », euphémisme pour désigner en réalité une condition misérable et des motivations illégitimes. Parmi les entrées temporaires figurent annuellement, en France, 9 000 salariés et 40 000 étudiants, dont le chiffre ne cesse de progresser depuis 1998. Ces deux dernières catégories ne fuient pas la misère, mais sont dans des stratégies de mobilité sociale et d'amélioration de leur condition de vie et de celle de leur famille. Les salariés répondent le plus souvent à des offres nécessitant une qualification minimale et les étudiants se destinent, une fois leurs études terminées, à occuper des postes relativement importants dans leur pays, ou à s'installer dans le pays d'accueil pour y exercer une activité professionnelle soit équivalente à leur diplôme ou parfois sous qualifiée, voire même parfois à partir pour une autre région plus « accueillante » en termes d'emploi, de salaire et de conditions de travail (Canada, Angleterre, pays du Nord, etc.). Ces flux migratoires sont relativement contrôlés et maîtrisés. Ils s'insèrent et sont encadrés par une législation nationale et des conventions internationales.

Certes, d'autres raisons de partir de chez soi existent et n'ont rien à voir avec des stratégies de mobilité sociale. Il y a bien sûr les conflits locaux ou régionaux, les guerres civiles, la violence des États dictatoriaux, etc. Autant de situations aujourd'hui connues et relativement bien analysées, et dans lesquelles la misère constitue bien souvent (mais pas systématiquement) le décor général. Mais des facteurs méconnus prennent, depuis quelques années, un poids de plus en plus important dans le départ de millions de personnes de leurs pays. Ceux principalement dûs à des *politiques de la famine*, d'une part, et à des *politiques de bouleversements de l'environnement*, d'autre part. La faim et l'environnement sont devenus en effet depuis peu des armes politiques et des armes de guerre redoutables, en plus d'être une nouvelle source d'émigration et d'immigration. Faire mourir en masse son propre peuple, en le privant délibérément de nourriture, n'est nullement un acte isolé ou un accident de la nature. Dans un monde d'abondance, la famine n'est pas le simple résultat d'un malheureux « dysfonctionnement économique ». Elle est mobilisée par des gouvernements et des mouvements armés pour vaincre ou éliminer purement et simplement des adversaires ou des concurrents politiques, s'approprier illégalement des terres, etc. Avec cette spécificité : les pouvoirs ne tentent pas d'affamer les peuples étrangers ennemis, mais leur propre peuple. Les exemples abondent et sont peu contestables : au Soudan contre les peuples en révolte du Sud, en Birmanie contre les minorités par le travail forcé obligeant ainsi les familles sans ressources à émigrer. En Afghanistan où les Talibans ont privé de tout les foyers dans lesquels le chef de famille était une femme. Les stratégies peuvent être plus élaborées, pariant sur la naïveté et la compassion des pays riches. Tels les cas du Liberia et de la Sierra Leone, où les populations ont été délibérément privées de nourriture par la destruction des récoltes, et « exposées » aux journalistes afin de « solliciter » l'aide internationale, immanquablement détournée au profit des seuls belligérants armés, afin de nourrir leur combattants. Et à l'échelle internationale, l'arme de la faim est mobilisée avec efficacité par les pays du Nord afin de maintenir les pays du Sud dans la dépendance alimentaire.

Mais la faim n'est pas la seule nouvelle arme au service des États : l'environnement est devenu, depuis les années quatre-vingt, un facteur susceptible de pousser des millions de personnes à s'enfuir de chez elles, c'est-à-dire à quitter dans la précipitation leur habitation et leur pays. Alors qu'un grand nombre d'ONG réfléchissent et agissent contre la faim et dénoncent les causes politiques de ce fléau, ceux qu'on appelle dorénavant les « réfugiés environnementaux » ne bénéficient pas encore d'instances et d'organisations nationales et internationales prenant en charge leurs problèmes. Les estimations du Fonds des Nations unies pour la population, dans son rapport de 2001, avancent le chiffre de 25 millions d'« écoréfugiés » en 1998, plus nombreux, toujours d'après le même rapport, que les personnes fuyant un conflit ou une guerre civile (23 millions). Les grandes sécheresses des années soixante-dix avaient provoqué le départ de plusieurs milliers de personnes du Sahel. En 1964, le barrage d'Akosombo au Ghana obligea plus de 80 000 personnes à quitter la région. Enfin, la construction du barrage d'Assouan a fait partir plus de 100 000 Nubiens d'Égypte et du Soudan. D'après la définition du Programme environnemental des Nations unies (PENU), ces « écoréfugiés » « ont été forcés de fuir leurs habitations traditionnelles d'une façon temporaire ou permanente, à cause d'une dégradation de leur environnement. Celle-ci bouleverse gravement leur cadre de vie et/ou déséquilibre sérieusement leur qualité de vie ».

Il est vrai que la dégradation de l'environnement a des causes diverses, comme les catastrophes liées à des causes naturelles (tornades, éruptions volcaniques, tremblements de terres, etc). Mais il y a aussi des catastrophes sociales, directement causées par les activités humaines comme la déforestation de forêts tropicales, la pollution, la construction de grands barrages, les catastrophes nucléaires, les guerres, etc. Enfin, on l'oublie trop souvent, un désastre peut être le fruit d'une *combinaison* d'origine humaine et naturelle, telles les inondations ou la sécheresse, provoquées par des changements climatiques. Les victimes de ces modifications environnementales retournent chez elles, par exemple après une inondation, mais sans aucune garantie qu'il n'y en aura pas d'autres à l'avenir et que le pouvoir central, en coordination avec les instances locales, aura pris les dispositions appropriées. De même, nombreuses sont les populations à réintégrer leurs habitations après une sécheresse, mais sans perspective dans le cas où celle-ci se prolonge. Plus radicalement et plus définitivement, il existe de nombreuses situations où les victimes ne pourront plus jamais rentrer chez elles, notamment dans le cas d'une expropriation pour la construction de barrages.

Dans un entretien donné au journal allemand *Der Spiegel* en date du 7 avril 2005, le ministre chinois de l'Environnement, Pan Yue, fait preuve d'une rare franchise pour un dirigeant chinois : « Le miracle économique va bientôt prendre fin car l'environnement ne peut plus suivre. Un tiers de notre territoire reçoit des pluies acides, la moitié de l'eau de nos 7 grandes rivières est désormais inutilisable, alors qu'un quart de nos citoyens n'ont pas accès à l'eau potable. (...) Déjà maintenant, il y a une surcharge de population dans les régions où les écosystèmes sont les plus dégradés. Dans le futur, nous aurons à reloger 186 millions d'habitants issus des 22 provinces et des villes les plus polluées. Mais les autres régions ne peuvent absorber que 33 millions d'habitants. Cela signifie que la Chine va avoir, dans les années à venir, plus de 150 millions d'émigrés écologiques, ou si on veut, de "réfugiés environnementaux". (...) Nous avons fait l'erreur de croire que la croissance économique et les ressources financières qu'elle apporte allaient nous permettre de répondre aux crises environnementales et à l'augmentation de la population. »

Afin de faire reconnaître ces nouvelles victimes comme des réfugiés à part entière, associations, organisations et fondations ont vu le jour depuis un peu plus d'une dizaine d'années. Leur but est la production d'une législation internationale qui protégerait les personnes exilées pour des raisons liées à des modifications de l'environnement, causées par des choix politiques, sociaux et économiques contestables, ou tout simplement imposées par la loi ou par la violence d'État. Sans aucun doute pour ces personnes et ces mouvements de populations, comme déjà pour les demandeurs d'asile de la Convention de Genève de 1951, la question se posera immanquablement de la distinction juridiquement pertinente entre une personne qui fuit la « misère » et celle qui fuit la « dégradation de l'environnement ». Un autre point, tout aussi complexe, demandera de trancher et donc d'établir des critères de différenciation aussi pertinents que possible entre une catastrophe environnementale causée par l'homme et une autre liée à la seule nature.

« Trop de demandeurs d'asile sont de faux réfugiés. »

> *Quand un homme ou une femme est persécuté en raison de sa race, de sa religion ou de ses opinions politiques, la place où il se trouve doit devenir à ce moment précis le centre de l'univers.*
>
> **Elie Wiesel**

Les controverses passionnées en France, et dans tous les pays membres de l'Union européenne depuis au moins les années quatre-vingt-dix, sur les véritables raisons du départ des migrants de leurs pays, ne concernent pas les populations qui accèdent légalement au territoire national pour une durée provisoire ou longue. Les motivations de ces populations sont connues et reconnues, c'est-à-dire que les pouvoirs publics les trouvent juridiquement fondées. Parmi les populations étrangères qui semblent poser quelques soucis aux autorités françaises, viennent en premier lieu les demandeurs d'asile : trop de demandeurs et, parmi eux, trop de « faux » demandeurs d'asile, ne cesse de dire l'État. Afin de réduire les demandes « infondées », le législateur a réformé en janvier 2004 la loi du 25 juillet 1952 relative au droit d'asile. Ainsi, il n'existe plus qu'une seule procédure d'asile. L'asile territorial, institué par la loi n° 98-349 du 11 mai 1998, relative à l'entrée et au séjour des étrangers en France et au droit d'asile, a été supprimé. La nouvelle procédure de demande d'asile offre deux statuts possibles : celui de réfugié (sur la base de l'asile conventionnel ou de l'asile constitutionnel) et le statut issu de la protection subsidiaire, nouveauté de la loi de

2004. L'Office français de protection des réfugiés et apatrides (OFPRA) et la Commission des recours des réfugiés (CRR) sont les deux seules instances aptes à déterminer le type de protection dont bénéficiera le demandeur d'asile : conventionnelle ou subsidiaire. Cette procédure unique de demande d'asile place les demandeurs sous un même régime en matière de droits sociaux, mais surtout les dépossède du choix de la protection.

Donnons tout d'abord quelques précisions statistiques. Au cours de l'année 2004, la division Europe de l'OFPRA a enregistré 18 208 demandes d'asile, la division Amérique et Afrique 21 899 et celle de l'Asie 10 216. La demande d'asile en France, toujours pour l'année 2004, s'est élevée à 65 500, soit une progression de 5,7 % par rapport à 2003. L'OFPRA, en 2004, a accordé le statut de réfugié à 9,3 % des demandes examinées. En fait, ce chiffre est incomplet car il faut prendre en compte les décisions de la Commission des recours des réfugiés. Ainsi, le taux d'admission définitif après « annulation » (rejet de la décision négative de l'OFPRA par la CRR) est de 16,5 %. 85 % des demandeurs d'asile se sont donc vu refuser le statut de réfugié. On pourrait penser, à juste titre, que ce taux est très faible malgré le *rattrapage* de la CRR ; et que la sévérité de l'État et de la CRR est manifeste. Ces chiffres ne doivent pas être analysés en soi ou seulement au regard de la société française mais en *comparaison* avec ce qui se passe ailleurs, dans les autres pays de l'Union européenne. Pour les autorités françaises, la situation en matière d'asile, depuis quelques années, n'est « absolument pas satisfaisante ». Effectivement, pour l'année 2004, chez les principaux partenaires européens, les demandes d'asile ont significativement baissé (mineurs et

La procédure d'asile en France

En France, le statut de réfugié et la protection subsidiaire sont accordés par l'Office français de protection des réfugiés et apatrides (OFPRA), et la Commission des recours des réfugiés (CRR) en appel. La demande d'asile est déposée à la préfecture. Le requérant attend une convocation de l'OFPRA pour un éventuel entretien. Si l'OFPRA rejette sa demande, il peut faire un recours auprès de la CRR. L'OFPRA et la CRR rejettent une demande d'asile s'ils estiment que le demandeur peut avoir accès à une protection (« asile interne ») dans une partie de son territoire. On ne demande l'asile que dans un seul pays de l'Union européenne, en application du règlement « Dublin II ».

Les différents types d'asile en France

L'asile conventionnel

Le terme « réfugié » s'appliquera à « toute personne (…) craignant avec raison d'être persécutée du fait de sa race, de sa religion, de sa nationalité, de son appartenance à un certain groupe social ou de ses opinions politiques, [qui] se trouve hors du pays dont elle a la nationalité et qui ne peut ou, du fait de cette crainte, ne veut se réclamer de la protection de ce pays ; ou qui, si elle n'a pas de nationalité et se trouve hors du pays dans lequel elle avait sa résidence habituelle à la suite de tels événements, ne peut ou, en raison de ladite crainte, ne veut y retourner ».

L'asile constitutionnel

La loi n° 98-349 du 11 mai 1998, relative à l'entrée et au séjour des étrangers en France et au droit d'asile, reprend à son compte l'alinéa 4 du préambule de la Constitution de 1946 : « Tout homme persécuté en raison de son action en faveur de la liberté a droit d'asile sur les territoires de la République. » L'asile constitutionnel obéit aux mêmes règles de procédure et offre la même protection que l'asile conventionnel, seul son fondement juridique est différent.

La protection subsidiaire

Introduite par la loi n° 2003-1176 du 10 décembre 2003, modifiant la loi du 25 juillet 1952 relative au droit d'asile, la protection subsidiaire permet de protéger les personnes qui ne remplissent pas les conditions pour être reconnues réfugiées sur la base de la convention de Genève, mais sont pourtant exposées, en cas de retour dans leur pays, à des « menaces graves ». Sont considérées comme telles, la peine de mort, le risque de « torture, de peines ou traitements inhumains ou dégradants », ou le fait d'être exposé à des « menaces graves, directes et personnelles contre sa vie ou sa personne, en raison d'une situation de violence généralisée résultant d'une situation de conflit armé interne ou international ». (article 2-II-2°).

réexamens inclus), comme en Autriche, -24 % ; Norvège, -49 % ; Suisse, -32 % ; Suède, -26 % ; Pays-Bas, -27 % ; et pour l'Angleterre, particulièrement active en ce domaine depuis l'ouverture du centre de Sangatte (en 1999), la baisse est de presque 60 % depuis 2002.

Ainsi s'expliquent les débats (peu nombreux et relativement consensuels) entre la droite et la gauche et (plus passionnés) entre les associations et les différents gouvernements, sur la quantité de faux demandeurs d'asile ainsi que, plus profondément, sur *l'instrumentalisation* du droit d'asile par des immigrés n'ayant nullement besoin de protection mais plutôt de travail. Les uns (la puissance publique) s'indignent que le droit d'asile ne soit plus qu'un prétexte, ou mieux, qu'un mécanisme parmi d'autres d'accès au territoire français, et qu'ainsi ce droit se vide chaque jour de sa pertinence et de sa nécessité. Les autres (essentiellement les associations) font remarquer aux premiers que si les frontières n'avaient pas été constituées comme de « véritables forteresses », la question de l'asile et de l'immigration se poserait bien différemment. Et d'ajouter que non seulement on ne confondrait plus les deux catégories sociales et juridiques, mais qu'en plus, les flux seraient beaucoup plus fluides : les personnes pourraient venir en France et repartir sans crainte de ne plus pouvoir revenir.

Cette controverse est de bout en bout structurée par une question fondamentale : celles et ceux qui demandent l'asile sont-ils en droit de le faire ? Autrement dit, leur vie est-elle réellement en danger, craignent-ils « avec raison » des persécutions de l'État ou « d'acteurs non étatiques » (partis, groupes religieux ou armés, groupes ethniques, etc.) en cas de retour dans leur pays ? Depuis la dernière loi de 2004, de nouvelles notions juridiques sont apparues comme celle de l'« asile interne ». L'OFPRA et la CRR sont depuis lors fondés, en droit, à interroger les requérants pour savoir s'ils ont cherché à obtenir dans leur pays une protection auprès d'organisations nationales, régionales ou internationales, avant de solliciter la protection de la France.

Les acteurs sociaux et institutionnels, d'un poids décisif dans le débat (hommes politiques, hauts fonctionnaires, experts et ambassades), répondent, ou attendent une réponse d'abord en fonction de la représentation sociale qu'ils ont de l'immigration et de l'immigré du tiers-monde. Et ce, bien avant la représentation qu'ils se font du « persécuté » qui reste, qu'on le veuille ou non, une figure à la fois lointaine, relativement abstraite, en tout cas fort éloignée de l'image légitime du « vrai » persécuté latino-américain ou du militant antitotalitaire soviétique des années soixante-dix / quatre-vingt.

Il importe de ne jamais perdre de vue que les institutions, et donc leurs agents, sont d'abord en face d'étrangers. Et qu'est-ce qu'un étranger ? Quelqu'un qu'on peut expulser, même si on ne l'expulse (presque) jamais. Un étranger est d'abord et avant tout défini par sa condition d'expulsabilité. Un étranger se perçoit et est perçu comme *quelqu'un qui n'était pas là depuis le début.* En un mot, l'étranger est toujours un être suspect. Et cette question du « vrai » et du « faux » réfugié a, en réalité, toujours existé. Elle est consubstantiellement liée à la condition même du non-national. Dès lors que quelqu'un demande une protection, on se demande toujours s'il a de bonnes et légitimes raisons à faire valoir. Cette configuration est universelle, parce qu'elle est liée à l'existence de l'État-Nation et à la codification juridique et symbolique du national et du non-national. Sans aucun doute possible, depuis l'arrêt de l'immigration en France, en 1974, lorsque toutes les voies légales (regroupement familial, formation, soins urgents, salariés temporaires et tourisme), sont devenues, au fil des ans et des réformes, de moins en moins accessibles, il restait alors une seule possibilité pour de nombreux candidats à l'immigration : accéder au territoire français par la demande d'asile, et ainsi avoir une chance d'être accueilli au séjour. Aussi, il n'est pas sûr du tout que l'enjeu premier et dernier se résume, pour les pouvoirs publics, à une lutte en vue de réduire les « faux » demandeurs d'asile. Cet aspect existe, mais il est relativement périphérique. L'enjeu central depuis les années quatre-vingt-dix de toutes les réformes sur l'entrée et le séjour des étrangers et le droit d'asile (l'un ne va plus sans l'autre : ces deux modes d'entrée sur le territoire national constituent aujourd'hui, malgré les apparences, une seule et même problématique) est de réduire, sélectionner et mieux contrôler l'immigration sous tous ses aspects et dans toutes ses composantes (regroupement familial, mariage, demande d'asile, etc.)

À ce propos, les pays membres de l'Union européenne font à peu près le même constat : avec les demandeurs d'asile, nous sommes moins en présence d'un problème d'asile ou de persécution que d'une question de déplacements de populations à la recherche d'un travail. Cette perception est en partie, mais en partie seulement, commandée par le fait suivant : les personnes, effectivement, viennent de pays où se cumulent et se conjuguent à la fois les guerres civiles et la pauvreté économique, les catastrophes écologiques, la violence d'État, etc. Si certains pays (comme l'Angleterre ou l'Autriche, pour ne citer qu'eux) pouvaient aujourd'hui se passer de la Convention de 1951, ils le feraient sans hésitation. Leur argument, nullement isolé, est le suivant : le monde a changé, les formes de persécution aussi, les personnes qui veulent venir dans les pays riches sont très massivement à la recherche d'un emploi et n'ont donc nullement besoin de protection. Mais une autre question est à poser : est-ce un crime ou une honte de vouloir absolument travailler ou tenter sa chance là où on croit que c'est possible ? Cette porte d'entrée qu'est l'asile continuera d'être envisagée comme telle tant que la question fondamentale des conditions d'une *égale liberté de circulation pour tous* et d'une redistribution équitable des richesses mondiales n'aura pas fait l'objet de débats sérieux, et pas seulement dans les associations de défense des immigrés. Il est impératif que ce débat ait aussi et surtout lieu au niveau et au sein des États et des instances internationales.

Répartition des recours par nationalités à la CRR

(Nationalités comptant plus de 180 recours en 2005)

Pays	2005 Total	Part dans l'ensemble	2004 Total	Part dans l'ensemble	Évolution 04/05
Turquie	3 639	9,44 %	5 814	11,24 %	-37,41 %
RD Congo	3 199	8,30 %	4 621	8,94 %	-30,77 %
Chine	2 675	6,94 %	5 670	10,97 %	-52,82 %
Haïti	2 466	6,39 %	1 973	3,82 %	+24,99 %
Sri-Lanka	2 359	6,12 %	2 520	4,87 %	-6,39 %
Moldavie	1 477	3,83 %	1 490	2,88 %	-0,87 %
Serb.Mont.	1 401	3,63 %	967	1,87 %	+44,88 %
Russie	1 344	3,49 %	1 541	2,98 %	-12,78 %
Mauritanie	1 262	3,27 %	2 405	4,65 %	-47,53 %
Nigeria	1 218	3,16 %	1 158	2,24 %	+5,18 %
Congo	1 204	3,12 %	1 674	3,24 %	-28,08 %
Géorgie	1 162	3,01 %	1 720	3,33 %	-32,44 %
Algérie	1 161	3,01 %	2 292	4,43 %	-49,35 %
Arménie	1 095	2,84 %	1 253	2,42 %	-12,61 %
Bosnie	1 087	2,82 %	385	0,74 %	+182,34 %
Guinée	1 009	2,62 %	929	1,80 %	+8,61 %
Banglad.	947	2,46 %	1 102	2,13 %	-14,07 %
Angola	867	2,25 %	1 598	3,09 %	-45,74 %
C. d'Ivoire	810	2,10 %	869	1,68 %	-6,79 %
Azerbaïdj.	532	1,38 %	497	0,96 %	+7,04 %
Mali	527	1,37 %	716	1,38 %	-26,40 %
Inde	510	1,32 %	962	1,86 %	-46,99 %
Bosniaque	451	1,17 %	376	0,72 %	+19,95 %
Mongolie	433	1,12 %	463	0,90 %	-6,48 %
Pakistan	432	1,12 %	1 010	1,95 %	-57,23 %
Ukraine	404	1,05 %	573	1,11 %	-29,49 %
Cameroun	366	0,95 %	715	1,38 %	-48,81 %
Albanie	300	0,78 %	415	0,80 %	-27,71 %
Malgache	239	0,62 %	299	0,57 %	-20,07 %
Soudanaise	235	0,61 %	230	0,44 %	+2,17 %
Togo	230	0,60 %	313	0,58 %	-26,52 %
Rwandaise	214	0,55 %	134	0,25 %	+59,70 %
S. Leone	187	0,48 %	236	0,46 %	-20,76 %
Autres	3 121	8,09 %	4 787	9,25 %	-34,80 %
Total	38 563	100,00 %	51 707	100,00 %	-25,42 %

Source : Bilan statistique de l'activité de la Commission pour l'année 2005.

« Il faut arrêter l'immigration. »

*L'immigration zéro n'est pas une réalité, juste un discours
politique visant à délégitimer la présence
de nouveaux étrangers en Europe.*

André Rea, *La Pensée de midi*, n° 10, 2003

Pendant longtemps, les États ont cru que les problèmes et les solutions se rapportant à l'émigration et à l'immigration pouvaient s'envisager en termes technico-juridiques : « fermer » les frontières et multiplier les restrictions en matière d'entrée et de séjour des étrangers. Le thème de la présence provisoire ou durable des étrangers dans la nation est sans aucun doute le thème électoraliste par excellence. Il ne s'agit pas de nier ou de minimiser l'importance sociale, politique et culturelle de l'immigration comme enjeu de société. C'est même devenu, depuis que ce thème est raccordé quasi automatiquement à ceux de l'islam et du terrorisme, probablement un des enjeux majeurs de ce début de XXIᵉ siècle en Europe. Mais en matière d'immigration, la politique la plus constante fut, sans conteste possible, celle de l'auto-aveuglement et de discours populistes. Comme s'il suffisait de décréter « l'arrêt » de l'immigration ou « l'immigration zéro » pour que cet énoncé transforme la réalité sociale dans le sens voulu par les producteurs de cet énoncé, l'État, le gouvernement, tel ou tel ministre, tel ou tel parti, etc.

Les controverses sur *les coûts et les profits* de l'immigration existent depuis que les États-nations ont sous leur responsabilité des nationaux qui ne leur appartiennent pas. En 1974, quand le gouvernement français décide l'arrêt de l'immigration, en réalité il met fin à une forme d'immigration particulière : celle qui correspondait aux nécessités du laisser-faire du marché du travail et des besoins des grandes entreprises (mines, automobiles, etc.). Ces dernières importaient des pays anciennement colonisés et sans formalités administratives contraignantes une main-d'œuvre docile et bon marché. Une fois en France, une partie de ces travailleurs voyaient leur situation administrative régularisée ; quant aux autres, ils retournaient dans leur pays. Mais depuis le début des années quatre-vingt, en France comme dans les pays de l'Union européenne, réapparaît avec constance, à l'occasion d'une controverse politique, d'une déclaration fracassante ou d'un match de football, le débat sur un thème devenu bien familier : « Nous faut-il plus ou moins d'immigrés ? » En d'autres termes, et au-delà de toutes les formules et de la sévérité ou de la générosité des initiatives étatiques, l'enjeu premier et ultime est le suivant : la France est-elle un pays « d'immigration massive » ? C'est à partir de la perception qu'on a de cet enjeu et selon qu'on considère la question négativement ou positivement, que s'ordonnent toutes les positions philosophiques, politiques, sociales et économiques en matière d'immigration.

La dernière controverse internationale en date sur la nécessité ou non d'une « migration de remplacements » et donc d'un mode de régulation institutionnel des flux migratoires (plus personne, dans aucun pays du monde, ne croit à « l'immigration zéro »), fut le rapport des Nations unies publié au printemps 2002. La « migration de remplacement » désigne l'apport dont un pays (en particulier s'il est développé) aurait besoin en migration internationale pour faire face à son vieillissement et à sa baisse de fécondité et de mortalité. L'un des scénarios retenus, enjeu central de la projection onusienne, était le maintien du « rapport de support potentiel (population de 15-64 ans/population de 65 ans et plus) en 2050 à son niveau de 2000 ». Il est vrai, comme l'ont noté les démographes, que les résultats sont pour le moins impressionnants ; ainsi, il faudrait l'apport d'environ 674 millions d'immigrés entre 2000 et 2050 pour stabiliser le « rapport de support potentiel » de l'Union européenne des quinze. Soit une entrée de quatorze millions d'immigrés par an, pour faire face et neutraliser les effets du vieillissement de leurs populations et, en particulier, pour lutter contre le déséquilibre entre actifs et retraités au cours du prochain demi-siècle.

Ce scénario est démographiquement très problématique. Un certain nombre de critiques ont d'ailleurs été formulées sur la démarche et les projections démographiques effectuées par la division de la population des Nations unies (André Lebon, « Les flux migratoires vers la France : quoi de neuf ? », *Santé, Société et Solidarité*, n° 1, 2005). Comme le remarque justement Philippe Fargues : « Les immigrés appelés pour maintenir le rapport actifs/inactifs sont en effet soumis au même processus de vieillissement que les autochtones : plus leur nombre est élevé, plus est élevé le nombre d'immigrants nécessaires pour compenser le vieillissement des immigrés de la génération précédente. Qui plus est, comme le vieillissement démographique se déroule également (…) dans les pays du Sud d'où la migration de remplacement est censée provenir, généraliser à l'ensemble du monde le raisonnement des Nations unies supposerait que l'on aille chercher les migrants de remplacement sur une autre planète. » (Philippe Fargues,

« L'émigration en Europe vue d'Afrique du Nord et du Moyen-Orient », revue *Esprit*, décembre 2003). Indéniablement, au moins pour l'Europe la plus riche, les changements démographiques sont réels mais, il importe de le préciser, inégalement selon les pays. La France est, selon l'Institut national d'études démographiques (INED), le pays le moins dépendant de l'apport de l'immigration en matière de fécondité et de renouvellement des générations. Elle compte 200 000 naissances de plus que de décès chaque année, alors que le solde migratoire (la différence entre les entrées et les sorties de migrants) est estimé à environ 65 000 personnes.

En fait, l'apport de nouvelles immigrations dans l'espace européen, y compris en France, n'aura pas pour vocation première de financer les caisses de retraites européennes mais bien, avant tout, de répondre aux besoins du marché du travail. Un certain nombre de secteurs économiques à fort taux de main-d'œuvre ont connu une croissance très importante : c'est le cas de l'agriculture d'exportation, du tourisme et de l'hôtellerie, de la confection, du service domestique, de la construction et du bâtiment. Dans ces secteurs où le code du travail est peu respecté, l'emploi est très souvent saisonnier, peu qualifié et peu rémunéré, nécessitant de la part des employeurs, et plus encore des salariés, une très grande flexibilité. Les nationaux y sont très faiblement représentés, sauf dans les positions professionnelles les plus élevées. Des immigrés et surtout des immigrés clandestins forment l'essentiel de la main-d'œuvre dans ces segments du marché du travail. Les marchés ont été finalement plus puissants à organiser et à mettre au travail, en un mot à réguler ces populations sans droits et sans titre de séjour, que l'État à lutter et à endiguer les activités employant des populations illégales sur son territoire.

Aussi, il importe de ne jamais perdre de vue que ce ne sont pas les étrangers en situation illégale qui créent le travail illégal mais l'existence de secteurs économiques fonctionnant en grande partie (mais pas totalement) sur la fraude qui se nourrissent, pour perdurer, du travail clandestin. La législation en la matière ne change pas grand-chose à la configuration que nous venons de décrire. L'étranger en situation de séjour illégal est le plus souvent sanctionné, plus rarement son employeur.

Les régularisations en Europe du Sud

Pour avoir une idée plus précise de l'importance de ces secteurs et des populations immigrées qui s'y activent et continuent d'y accéder en empruntant d'autres voies que l'entrée légale, il suffit de donner quelques chiffres sur les régularisations effectuées en Europe du Sud : France, Italie, Espagne et Grèce. La France a régularisé en 1982 environ 132 000 immigrés et en 1997-1998, autour de 90 000 clandestins sur 130 000 ont vu leur demande satisfaite (une fois déduite les demandes déposées en double). En Italie, la loi Fini-Bossi d'août 2002 (elle a institué la régularisation des étrangers en situation irrégulière travaillant dans les emplois domestiques et dont l'employeur en avait fait officiellement la demande), avait permis de recueillir plus de 70 000 demandes de régularisation. En mai 2005, le ministre espagnol du Travail, Jésus Caldéra, déclarait quant à lui : « Jusqu'à présent, nous avons 672 347 emplois qui ont émergé de l'économie souterraine. » Afin de bénéficier de cette procédure de régularisation, il fallait prouver que l'on vivait en Espagne au moins depuis 6 mois et présenter un contrat de travail d'un employeur prêt à vous embaucher pendant encore au moins un semestre. L'Espagne a, en une quinzaine d'années, procédé à six régularisations totalisant environ 2 millions de personnes. Selon des statistiques émanant de sources municipales espagnoles établies ces dernières années, il y aurait environ 1,4 million d'immigrés en situation irrégulière.

"

LA FRANCE, L'IMMIGRATION ET LE CONTRÔLE DES FRONTIÈRES

Le passage du statut temporaire
au statut permanent

En France, ce passage est au cœur de la loi relative à l'immigration et à l'intégration discutée en mai 2006 et définitivement adoptée un mois plus tard. Saisi par des sénateurs et des députés, le Conseil constitutionnel l'a validée le 20 juillet 2006. Le « contrat d'accueil et d'intégration » devient obligatoire (article 5). Il inclut une formation civique linguistique si nécessaire. Sa vocation fondamentale est de « préparer » à l'intégration de l'étranger qui vient vivre en France. Dorénavant, la délivrance de la carte de résident de dix ans sera appréciée en fonction de trois critères : a) un « engagement personnel à respecter les principes qui régissent la République française » ; b) un « respect effectif de ces principes » ; c) une connaissance « suffisante » du français (sauf pour les étrangers âgés de plus de soixante-cinq ans). Quant aux personnes en situation irrégulière, elles ne pourront plus bénéficier d'une régularisation automatique de leur situation même si elles justifient de dix années de présence continue sur le sol français (article 31).

« On est incapable de compter les immigrés. »

La mesure des flux migratoires est un art difficile : seule une partie des entrées sont enregistrées par les organismes et les retours ne sont guère observables. Mais la cohérence des équations démographiques permet en partie de combler ces lacunes.

François Héran, « Cinq idées reçues sur l'immigration »,
Population et sociétés, n° 397, 2004

Il est impossible de parler de l'immigration sans qu'apparaisse aussitôt la controverse sur le nombre réel des immigrés en France. Combien sont-ils ? Peut-on accéder à la vérité de leur nombre et comment ? Les débats les plus passionnés mais aussi les plus empreints de fantasmes sociaux et politiques, concernent l'importance quantitative de l'immigration clandestine. Nous avons déjà souligné l'importance de celle-ci dans un certain nombre de secteurs économiques. Un des biais pour avoir la représentation la moins vague possible du nombre de clandestins, c'est bien entendu les moments de régularisation. Mais aussi, toutes les études l'ont amplement montré, l'immigration clandestine se concentre à plus de 90 % dans des secteurs économiquement reconnus, et parfaitement connus des pouvoirs publics et des institutions chargées de la lutte contre le travail dissimulé : le BTP, le tourisme, la confection, le travail domestique et agricole. Précisons, au passage, que dans ces secteurs où existe en volume très important le travail non déclaré, l'immigration illégale y côtoie une main-d'œuvre étrangère légale et une main-d'œuvre nationale, de loin la plus nombreuse.

Mais revenons à l'immigration régulière et aux migrations internationales. Ces deux types d'immigrations sont difficiles à évaluer. *Difficile* ne veut pas dire impossible, mais dont l'observation s'avère, dans tous les cas, techniquement et juridiquement complexe et parfois aléatoire. Regardons de plus près ce qu'il en est. À propos des flux migratoires internationaux, tout comme les déplacements de populations (volontaires ou non), les spécialistes se heurtent tout d'abord à une absence de dispositifs d'observation fiables dans les pays de départ et de transit. Plus encore, établir des comparaisons entre ces pays s'avère une activité scientifiquement hypothétique. Tout simplement parce que rares sont les pays du Sud disposant d'un appareil statistique ou de centres de recherche démographique dotés des mêmes compétences et des mêmes moyens que ceux des pays développés comme la France, l'Allemagne ou les États-Unis. Le Système d'observation permanent des migrations internationales (SOPEMI), fondé par l'OCDE en 1973, a pour tâche d'harmoniser les définitions et les données, mais seulement pour les pays membres de cette organisation. L'Organisation internationale pour les migrations (OMI) observe et évalue les flux migratoires dans le monde, mais là aussi, les données de l'OMI sont plutôt locales et toujours partielles. Enfin, le Haut Commissariat des Nations unies pour les réfugiés est une autre source importante dans le recensement, l'enregistrement et la protection des réfugiés et des personnes déplacées à l'extérieur ou à l'intérieur de leur pays.

Venons-en maintenant aux flux d'entrées et à leur mesure, notamment en France. Cette question recouvre en fait deux aspects : celle de la *catégorisa-*

tion et celle des *sources* permettant un chiffrage de la réalité migratoire. Dénombrer les étrangers nécessite la construction de plusieurs *conventions*, consistant dans le choix de mots et de définitions, une terminologie commune, des opérations de regroupements et de classifications selon la nationalité, les raisons du séjour, le mode d'entrée sur le territoire national, etc. Et bien entendu, le recours à diverses sources administratives forcément contraignantes, car dotées chacune de traditions et de modes de calcul spécifiques.

Par exemple, sous la notion « d'entrée » sont réunies deux situations : l'arrivée opérée depuis l'extérieur du territoire national et « l'arrivée » des étrangers en situation irrégulière, bénéficiaires d'une régularisation mais sans jamais avoir été comptés. Ce dernier type d'arrivée correspond alors à une « première apparition statistique ». Quant à l'immigration permanente, elle renvoie à un troisième cas de figure : celle du passage d'un statut temporaire à un statut permanent. Pour le demandeur d'asile qui obtient une carte de réfugié, rien ne change pour lui. Dans ce dernier cas, la personne reconnue réfugiée n'entre pas sur le territoire puisqu'elle y est déjà depuis plusieurs mois (le temps de l'examen de sa demande), mais se situe dans la catégorie de l'immigration permanente. Son apparition statistique démarre le jour de l'obtention de son statut. À ces différentes catégories d'immigration, il faut ajouter l'immigration saisonnière, principalement constituée par des travailleurs étrangers dotés d'un contrat de travail d'une durée maximale d'un an, et les étudiants étrangers, administrativement classés dans l'immigration temporaire. Cette série de catégorisations serait incomplète si l'on n'y ajoutait pas une catégorisation plus politique : celle des ressortissants de la Communauté européenne et celle des étrangers des

« pays tiers », autrement dit le reste de la planète. La première bénéficie de la liberté de circulation dans l'espace de l'Union européenne alors que la seconde est soumise à l'autorisation de l'État pour le séjour et le travail, mais aussi pour le droit de visite.

Étudions maintenant la mesure des flux migratoires. La France ne dispose pas de *registre de population* pour l'évaluation statistique des entrées et du séjour des étrangers, contrairement aux autres pays membres de l'Union européenne. Aussi, toute démarche de chiffrage dans ce domaine reste tributaire de trois sources principales de production statistique. Soit l'Office des migrations internationales – il n'enregistre que les étrangers qui passent une visite médicale en France – l'Office français de protection des réfugiés et apatrides, et le ministère de l'Intérieur. Mais comme le remarque André Lebon, « (…) il demeure encore quelques situations pour lesquelles il s'avère impossible de trouver une base tant soit peu assurée pour un travail d'estimation. C'est le cas par exemple des enfants mineurs des – visiteurs – communautaires ou non, ou encore de certains membres de famille de Français. D'un côté, on est certain que de tels flux existent, de l'autre, leur volume ne peut être apprécié même indirectement. De ce fait, il est vraisemblable que les nombres totaux avancés pour quantifier l'immigration à caractère permanent restent en-deçà de la réalité. » (André Lebon, *Migrations et nationalité en France en 2001*, 2003). Malgré ces *trous noirs* dans l'évaluation des flux migratoires, de l'avis des spécialistes, la situation sociale, économique et démographique des immigrés en France est aujourd'hui relativement bien connue. Que ce soit pour l'éducation, la scolarisation, l'emploi, le chômage, le travail féminin, le logement, les mariages, etc., non seulement un grand nombre de données extrêmement fiables sont disponibles, mais des comparaisons existent dans un grand nombre d'activités sociales, professionnelles et domestiques entre populations immigrées et entre populations immigrées et françaises. Comme le souligne à juste titre François Héran, « il est toujours possible de relever des incohérences comptables quand on descend dans le détail, mais les démographes n'imaginent pas que leur rôle soit de forcer la réalité à produire des données parfaites. Mieux vaut chercher à comprendre la source sociale des biais que de vouloir les abolir. (…) Certaines familles déclarent ainsi au recensement une nationalité qui reste encore à venir. Le démographe appellera-t-il les autorités à la rescousse pour mettre fin à ces flottements ? Tel n'est pas son rôle. » (François Héran, « Cinq idées reçues sur l'immigration », *Population et sociétés*, n° 397, janvier 2004).

Il n'y a pas que dans les domaines scientifiques, technologiques, économiques et culturels que les rapports Nord-Sud sont structurés par de fortes inégalités. La statistique est à l'évidence un outil fondamental de connaissance objective et subjective, un dispositif d'autoconnaissance extrêmement précieux. La puissance d'un État se mesure aussi à ses capacités techniques et humaines à dénombrer, classer, compter, enregistrer, etc. Et par conséquent à se donner les moyens de *pré-voir et d'agir* en toute connaissance de cause. Aujourd'hui, il n'y a de sociologie de l'immigration et de tradition statistique que celles qui répondent aux demandes explicites et implicites des pays riches, c'est-à-dire des régions d'immigration. Ces derniers ont un intérêt matériel et symbolique à la connaissance des populations qui accèdent à leur territoire. Quant aux pays d'émigration, ils en sont simplement à constater l'absence et le manque. Comme si tout commençait avec l'immigration et pour la société d'immigration ; comme si l'immigré naissait en terre d'immigration, pour le pays d'immigration et pour la science de l'immigration. Auparavant il n'y a rien, le passé de l'immigré n'intéresse pas l'immigration, ni d'ailleurs le pays d'émigration.

Quand l'immigration devient
un « problème » pour l'État

Historiquement, jusqu'à la fin des années soixante-dix, l'immigration en France n'est pas constituée comme un problème national pour l'État. Il n'est nulle part question, dans les débats et controverses publics, d'étrangers en situation irrégulière, d'immigration clandestine, d'harmonisation européenne du droit d'asile, de sans papiers, du « voile islamique », etc. Il n'est même pas question de débats sur « l'intégration des immigrés ». L'apparition et la multiplication de nouvelles formes d'interception et d'enfermement des étrangers en situation irrégulière en France date, en réalité, du début des années quatre-vingt. On assiste au cours des années quatre-vingt / quatre-vingt-dix à un raidissement significatif de la classe politique française (droite et gauche confondues) sur les thèmes liés directement ou non à la présence des étrangers dans la société française. Ce ne sont plus seulement les frontières qui sont menacées, ou le territoire national qui risque d'être « envahi » par le clandestin, c'est l'identité française qui serait de plus en plus mise en danger par un trop grand nombre d'étrangers.

« La France et l'Europe sont devenues de vraies passoires. »

Je peux comprendre l'agacement des autorités marocaines devant les critiques de la presse internationale à la suite des événements de Sebta et Melilla.
Nous sommes parfaitement conscients que le principal bénéficiaire de votre action de contrôle et d'expulsion des clandestins venus d'Afrique subsaharienne, c'est bien entendu, l'Europe.

Brice Hortefeux, entretien au journal *Le Matin* (Maroc), 25 janvier 2006

Depuis un peu plus d'une dizaine d'années, il n'y a pas de réunion européenne de haut niveau sans un ordre du jour avec comme priorité de l'agenda communautaire, la maîtrise de l'immigration légale et (surtout) la lutte contre l'immigration clandestine. Cette préoccupation recouvre en réalité une question obsédante : comment maîtriser les frontières de l'espace Schengen ? En novembre 2005, le ministre des Affaires étrangères maltais déclarait à propos des clandestins qui accédaient à l'espace européen par son pays : « À Ceuta, on a pu fermer la porte. Mais notre porte, c'est la mer et il est impossible de la repousser. » Il est vrai que chaque jour ou presque, nous apprenons que plusieurs dizaines, parfois plusieurs centaines de clandestins sont venus s'échouer sur les côtes espagnoles ou italiennes. Ou bien que la fermeture du centre de Sangatte en 2002 n'a pas arrêté la venue de milliers de clandestins dans le Nord de la France, toujours dans l'espoir de se rendre illégalement en Angleterre. La situation prend un tour tragique quand ce sont des dizaines de clandestins maghrébins ou subsahariens que l'on découvre noyés en mer ou morts de soif et de faim dans le désert algérien, libyen, ou américain pour les illégaux mexicains.

Si l'on observe l'entrée légale des migrants, le dernier rapport annuel de l'OCDE datant de mars 2005 (*Tendances des migrations internationales*), indique que les régions les plus industrialisées en ont accueillis beaucoup moins qu'en 2003. C'est le cas en Australie, au Canada, aux États-Unis, et dans les pays les plus développés de l'Europe de l'Ouest, tels que l'Allemagne, les Pays-Bas ou l'Angleterre. Une exception : la France. C'est le pays de l'OCDE qui a reçu le plus grand nombre de demandes d'asile (un peu plus de 60 000). Mais cette dernière catégorie a également diminué dans les pays de l'OCDE, inversant la tendance à la hausse observée au cours de la seconde moitié des années quatre-vingt-dix. Entre 1998 et 2003, ceux-ci ont surtout favorisé l'accueil des étudiants étrangers. C'est le cas, en particulier, de l'Australie, du Canada et de la France. Entre 2001 et 2003, le flux d'étudiants étrangers a augmenté de plus de 36 % en Angleterre, de 30 % en France et de 13 % en Australie. Sur la même période, il a diminué de près de 26 % aux USA.

Il n'est pas faux alors de dire qu'aujourd'hui le plus gros contingent d'immigrés en provenance de la Méditerranée du Sud est composé de clandestins, comme le révèlent après coup les régularisations effectuées en Italie, Espagne, France ou Belgique. Et c'est bien pour stopper cette forme d'immigration particulière que depuis une dizaine d'années, les différentes législations nationales et communautaire multiplient contrôles, sanctions et restrictions juridiques, avec des transmissions de données relatives aux passagers, des expulsions individuelles et collectives, des accords de réadmission conclus avec les pays d'origine, de fortes amendes infligées aux transporteurs qui acheminent des clandestins, etc. Mais il est faux de penser que l'accès et la circulation (légale et/ou illégale) dans l'espace européen et dans la Méditerranée sont aisés. En fait, l'enjeu fondamental du contrôle de l'entrée et du séjour (légal ou illégal) des étrangers dans les espaces nationaux des pays membres de l'Union européenne n'est pas tant une question de *représentation numérique des clandestins* qu'un enjeu politique et culturel, lié à l'idée de l'exercice plein et entier de la souveraineté nationale. Un, cent ou plusieurs milliers de clandestins dénombrés dans un pays riche et souverain n'affaibliront pas la position internationale de ce dernier, ni n'affecteront de manière décisive son identité culturelle. Mais l'État ne scrait plus l'État, il ne serait plus conforme à son essence, celle de fonder son organisation et sa raison d'être sur la volonté d'avoir prise sur les corps et les choses, bref sur la vie, s'il ne cherchait pas à compter, vérifier, contrôler, maîtriser la circulation des personnes et des populations, autant que le corps social dans son ensemble. Comme il s'agit de circulation des personnes et de gestion de populations, la préoccupation du pouvoir d'État va donc surtout se borner non pas à modifier les causes des phénomènes migratoires, hors de portée de son droit et de sa force, mais à constituer une politique chargée de compter et d'estimer, à l'aide de la statistique, les coûts et les profits qu'entraîne la présence de ces populations. Il s'agit pour lui de définir des règles d'intégration et d'exclusion. C'est donc bien à une gestion du *nombre* (celui des entrées, des sorties, des naissances, des naturalisations, des clandestins, des demandeurs d'asile, etc.) et, dans une certaine mesure, du *normal* et de l'*anormal* (regroupement familial autorisé ou non, soins interdits ou pas selon le statut juridique, etc.) qu'est confronté le pouvoir d'État avec ces populations étrangères mises sous sa souveraineté et sa responsabilité sans lui appartenir.

Au-delà de cette vocation première, il n'est pas illégitime de se demander pourquoi les États se concentrent, d'abord et prioritairement à l'aide de la technologie, de la police et du droit, sur la surveillance et le contrôle des frontières européennes pour stopper l'immigration clandestine. Sans aucun doute parce qu'il serait trop long et trop aléatoire de parier, à court ou à moyen terme, sur une redéfinition des rapports économiques, politiques et géographiques entre pays riches et pays pauvres. Surveiller, contrôler et punir les immigrés clandestins devient alors une activité quotidienne d'une grande importance. Tout « relâchement » peut être considéré comme du laxisme à l'égard d'impératifs comme ceux de la préservation de l'identité ou de la sécurité nationales. Avec l'immigration clandestine, les États sont dans l'urgence et dans la publicité des résultats.

Au moins jusqu'en 2001, ceux qui foulaient illégalement le sol national n'étaient pas perçus et traités explicitement comme des « ennemis » (réels ou potentiels) de la nation. Aujourd'hui, ce que les États des grands pays capitalistes craignent avant tout, lorsqu'il s'agit d'immigration incontrôlable et donc de l'arrivée d'immigrés imprévisibles, c'est son instrumentalisation à des fins terroristes. De là vient l'idée proposée en 2003 par les autorités britanniques (et approuvée par les ministres de l'Intérieur italien et allemand) de faire le *tri*, non pas une fois qu'il est trop tard, c'est-à-dire quand les immigrés sont déjà arrivés, mais quand il est encore temps de les retenir à la « source », dans leur pays d'origine ou dans l'immédiat voisinage. Ces notions d'imprévisibilité, de mobilité, d'invisibilité, etc., sont celles-là mêmes qui qualifient l'identité technique des terroristes. Ainsi, il ne fait aucun doute que l'asile, l'immigration et le terrorisme tendent à constituer de plus en plus une seule et même problématique et par conséquent une seule et même préoccupation politique, en ce qu'ils sont entrés, depuis quelques années, dans un *seuil d'indifférenciation*. Pour assurer la sécurité de tous ceux qui vivent dans l'espace des sociétés capitalistes développées et maintenir les grands équilibres économiques, écologiques et culturels, il importe désormais, aux yeux des politiques, de rechercher inlassablement les outils et les actions les plus appropriés pour dompter ces « mouvements » et ces « flux » désordonnés, venus de nulle part et de partout. C'est très exactement ce que dit, à sa manière, Nicolas Sarkozy : « Notre politique est fondée sur la nécessité de défendre notre pays contre des vagues que nous ne pourrons maîtriser (…) », *Le Figaro*, 12 novembre 2002. Il est impératif de les soumettre, non pas à l'imaginaire d'une société pure, mais à une volonté souveraine de sélectionner entre ceux qui sont socialement dignes d'être reçus et ceux qui ne méritent pas (ou pas encore) un geste de solidarité économique ou de protection politique. Afin d'être à la hauteur du défi, le programme de travail et de réflexion se dessine sans ambiguïté : rechercher les meilleures formes d'endiguement contre cette *nature incontrôlable* qu'est l'immigration non désirée. La création de ces multiples espaces de relégation (prisons, centres de rétention, « camps », etc.) pour étrangers sans droits en est probablement la forme la plus accomplie. Au principe de cette posture d'État, il y a une vision de l'ordre national et de sa sécurité symbolique. Cette vision détermine une hiérarchie des impératifs catégoriques : ce qui doit être défendu, ce n'est pas tant l'intégrité physique du territoire de la nation (elle n'est objectivement menacée par personne), mais la société contre une menace de désordre social.

« Les passeurs sont la cause de l'immigration clandestine. »

Dans les villes du tiers monde [les organisations de passeurs] se présentent souvent comme des « agences de voyages » régulières, spécialisées dans ces affaires profitables. Ce sont les principaux bénéficiaires, à l'étranger, des mesures de protection de l'Europe citadelle.

Klaus J. Bade, *L'Europe en mouvement*, 2002

Combien de fois n'a-t-on pas entendu dire avec force conviction que le démantèlement des trafiquants d'êtres humains (organisations mafieuses, réseaux de passeurs, etc.) serait un coup fatal porté à l'immigration clandestine ? Il n'y a pas un discours officiel, en Europe et ailleurs, qui n'associe, dans une relation de cause à effet, les réseaux de passeurs à l'immigration clandestine. Bref, il n'est nullement exagéré d'affirmer qu'en la matière, il s'agit de penser et présenter explicitement les flux migratoires illégaux comme une *production* de trafiquants de toutes sortes. Il n'est pas question ici, bien entendu, d'excuser ou de faire montre de compréhension à l'égard de tous ceux, individus ou organisations, qui profitent de la détresse de milliers de femmes et d'hommes à la recherche d'une sécurité minimum. Il ne s'agira pas, dans ce chapitre, de morale ou de dénonciation mais de sociologie, c'est-à-dire de compréhension scientifique d'un phénomène social comme un autre.

Partir de chez soi sans y être autorisé ne va pas sans l'existence d'un espoir, celui d'arriver un jour ou l'autre sur le sol d'un pays riche où, croit-on, le travail se trouve en abondance. Mais ce *désir d'immigration* n'est pas suffisant à lui seul pour vaincre et venir à bout de tout ce qui s'y oppose : contrôles policiers, absence de documents de voyage, refoulement possible dans son pays d'origine, etc. Le voyage qu'entreprend le migrant clandestin se mène, du début jusqu'à la fin, dans l'illégalité. Cette dimension est au cœur de son itinéraire. Le seul personnage susceptible de l'aider à surmonter cette épreuve est celui qu'on appelle ordinairement *le passeur*. Les réseaux de passeurs (petits ou grands) ne sont pas la cause de l'immigration clandestine, ils n'en sont qu'un élément constitutif ; à leur manière, ils sont des dispositifs de régulation des flux migratoires. Et c'est précisément parce qu'il n'est pas à l'origine de ces flux mais qu'il les accompagne que le passeur est totalement maître du jeu et de ses règles. Il est toujours sollicité, jamais demandeur ; il est constamment recherché pour ses « services », il ne pratique à aucun moment la prospection de « clients ». La demande est quasi intarissable et la concurrence relativement faible.

Le passeur et le clandestin sont deux figures indissociables : elles sont liées pour le pire et le meilleur. L'une est inenvisageable, impensable sans l'autre. Tout le monde le sait et compose, bon gré mal gré, avec cette contrainte incontournable. Le clandestin, à la fin de son voyage, fait le même récit : celui de la présence continuelle et omniprésente du passeur. Celui-ci (c'est quasiment toujours un homme) est une « institution » que, paradoxalement, la lutte contre l'immigration clandestine renforce et légitime toujours un peu plus. Pourquoi ? Parce que, à sa manière, le passeur est un expert des plus précieux. Il possède seul la réputation de cumuler plusieurs compétences puisqu'il est présenté par tous, successivement ou simultanément, comme « guide », fin connaisseur des lieux de passage, homme « influent » auprès des douaniers, des services de police et des transporteurs. Une des preuves sans conteste de la nécessité du passeur lors de ce type de périple réside dans les mots employés. Rares sont les migrants qui parlent de « voyage ». Presque tous évoquent constamment le périple à effectuer en terme de « passage » et des « difficultés de passer ». Les candidats au départ emploient d'ailleurs le mot anglais *agent* (en français au sens d'agent, de représentant ou d'agent artistique) et non *smuggler* (en français au sens de contrebandier, fraudeur) quand ils évoquent les passeurs. Cela ne signifie nullement que dans cette définition, la dimension frauduleuse du voyage soit effacée. Seulement, chacun sait qu'un tel voyage est impossible sans le recours à des professionnels, lesquels officient dans des agences quasi officielles.

C'est dans le pays d'arrivée que le passeur devient une figure haïssable, jamais dans le pays d'origine et rarement au cours du voyage. Le départ de chez soi, sans documents de voyage, et quels que soient les motifs (politiques, culturels, écologiques ou économiques), prive le clandestin des appuis et des recours habituels de toutes sortes : moral, matériel, financier, et familial. Le départ signe en réalité la fin de ces soutiens. Plus exactement, tant que la première frontière n'a pas été franchie, le candidat à l'immigration illégale n'est pas encore enfermé dans un huis-clos avec son ou ses passeurs parce qu'il est encore dans sa nation, en pays connu, dans son territoire et dans sa langue. Il lui reste encore la possibilité de décliner une identité officielle (et donc d'avoir encore une existence officielle) et, surtout, de revenir chez lui sans risque majeur en cas de danger. C'est une fois franchie la première frontière, sa frontière nationale, que le sentiment de sécurité subjective disparaît. L'exilé sera alors sans recours ni secours. Cette *asymétrie radicale* entre le passeur et son passager est acceptée dans la mesure où il n'existe aucune autre possibilité de quitter son pays. La fuite est à ce prix, dans tous les sens du terme. Le métier de passeur n'est pas de certifier sur l'honneur que le voyage sera accompli avec certitude jusqu'à un pays d'installation, mais de garantir une possibilité d'accès à tous les points de passage qui permettront d'accéder à la terre d'immigration.

Ce monopole du *marché du passage* lui permet de fixer les conditions financières du voyage et le ou les itinéraires jugés par lui appropriés. Sur cette question, moralement et politiquement sensible, il est impératif de déplacer le regard et de reformuler différemment les interrogations et les enjeux. Pour simplifier, on peut dire qu'il y a les passeurs indigènes, c'est-à-dire des nationaux, seuls à connaître les lieux stratégiques de passage, bien évidemment totalement inconnus de la part des voyageurs clandestins. Dans ce cas, le plus souvent, les passeurs sont organisés en réseaux souples créés et défaits en fonction de la mission à accomplir, de la porosité des frontières et de la complexité de l'itinéraire. C'est dans ce type de situation que l'on rencontre des passeurs à plein temps, occasionnels et des « passeurs » (la plupart du temps des chauffeurs de camion) qui ne savent pas qu'ils le sont ou qu'ils l'ont été le temps d'un voyage, à leur insu.

Le cas des organisations mafieuses relève d'une autre complexité et est lié à d'autres enjeux. Elles doivent être pensées en relation à l'État. Le manque d'État (comme en Afghanistan), son indifférence relative, son impuissance administrative ou policière, son absence partielle (dans certaines portions du territoire) ou quasi totale, etc., tout comme, inversement, l'existence d'un État autoritaire et corrompu (le cas de la Turquie) déterminent, pour une très grande part les formes, l'expérience, le poids politico-économique et le degré d'internationalisation de ces organisations de trafics humains.

Mais il est vrai que les connexions structurelles ou conjoncturelles entre les petits réseaux de passeurs, sortes de sous-traitants, et les organisations mafieuses sont nombreuses. Ce qui pourrait définir une organisation mafieuse se livrant à plein temps au trafic humain, c'est qu'elle est matériellement, financièrement et grâce à ses complicités policières et politiques au plus haut niveau dans les pays de départ ou certains pays de transit (les plus pauvres et où la corruption est très importante), la seule capable de remplir un bateau de 800 personnes et de le mener à bon port. Nous sommes ici en présence d'activités de masse requérant un minimum d'expertise, et dont le champ d'action est l'espace international. On peut aisément imaginer les conditions économiques générales à réunir pour mener à bien ce type d'entreprise. Un réseau de passeurs frontaliers a des ambitions et des missions infiniment moindres : il a seulement en charge de petits groupes, qu'il achemine près de la frontière ou qu'il fait passer de *l'autre côté*.

Les causes de l'immigration qui président au départ de leur pays de millions de personnes sont à rechercher non pas dans l'existence de réseaux de passeurs ou même d'organisation de trafics d'êtres humains, mais dans l'absence tragique d'avenir et de sécurité dans un grand nombre de pays. « Je veux mourir pour ma famille », « Je ne peux pas revenir les mains vides », « Je ne peux pas m'arrêter en cours de route », « Il faut que j'aille jusqu'au bout », etc. Ces phrases mille fois entendues en sont l'expression la plus incontestable. Le mouvement de ces émigrants, c'est la fuite, au sens strict de vouloir rester en vie ou d'assurer sa survie : ils fuient leur pays, ils fuient les pays qu'ils traversent, et ce qui les pousse toujours plus loin, c'est une sorte de *fuite* en avant. Nous sommes loin, dans cette perspective, de tous les discours un peu naïfs sur la recherche de l'Eldorado. *Aller jusqu'au bout*, c'est tout simplement ne pas rester au bord du chemin, de la route et de la société.

« La France est la principale destination des immigrés et des clandestins. »

(...) La bonne nouvelle est que le nombre total de réfugiés est à son niveau le plus bas depuis 1980. La mauvaise nouvelle est que la communauté internationale a encore un long chemin à parcourir pour résoudre le sort de millions de déplacés internes dans des endroits comme le Darfour, l'Ouganda et la République démocratique du Congo.

António Guterres, haut commissaire des Nations unies pour les réfugiés, 2006

« Ils chemineront jusqu'aux confins de la terre, à droite et à gauche. Et quand enfin ils auront atteint la mer, ils continueront à aller de l'avant » (Martinez Ruben, *La Frontera. L'odyssée d'une famille mexicaine*, 2004). Cette phrase traduit parfaitement la nouvelle configuration de l'immigration et de l'immigré sans place ni statut dans un grand nombre de pays dans le monde. Dont la France. Ces populations étrangères, de partout et de nulle part, sont dépourvues de toute assignation juridique et leur particularité sociologique est de constituer des groupes qui, en droit et en fait, ne doivent pas parler et doivent rester invisibles.

L'immigré ordinaire est celui dont le droit de résidence ne dépend pas d'un quelconque désir personnel ou de motivations privées, mais relève par excellence d'un acte de souveraineté de l'État. Dans ce cas, l'émigré a pour vocation à *de-venir* un immigré. Mais tel n'est plus le cas aujourd'hui. Depuis quelques années, excepté pour ceux qui accèdent légalement dans les pays riches d'Europe occidentale, pour tous les autres, cette vocation est devenue très aléatoire ou tout simplement irréalisable. Autrement dit, les émigrés n'ont plus vocation à être des immigrés à vie. Cela signifie concrètement la chose suivante : quitter les siens et son pays, c'est dorénavant avoir conscience que l'aventure migratoire est devenue à la fois incertaine et très dangereuse. Dans l'ancienne configuration, revenir chez soi par la force ou mourir en route ou en mer n'étaient pas des éléments constitutifs de la condition de candidat à l'émigration et à l'immigration. Aujourd'hui, cette double possibilité est explicitement envisagée par les partants et leur famille. Ce qui fait la différence fondamentale entre l'immigré ordinaire en situation régulière et l'immigré clandestin, quelle que soit la nationalité des uns et des autres, ce ne sont ni les motifs du départ, ni le choix initial de la destination finale, c'est l'imprévisibilité et l'incertitude permanente de l'entreprise migratoire, pour ceux qui ont décidé de partir sans y être autorisés. C'est l'impossibilité, pour le clandestin, de (se) construire un *destin d'immigré* dans des conditions juridiques et sociales stabilisées. Quand des étrangers sans statut ou sans autorisation de voyage arrivent par mer, par avion ou par terre, qu'ils soient algériens, sri lankais, congolais ou kurdes de Turquie, leur arrivée ne doit pas être perçue comme une entrée banale en pays d'immigration mais comme une étape de plus d'un voyage qui n'en finit pas.

Pour étayer plus précisément cette nouvelle configuration, prenons l'exemple du centre d'accueil de Sangatte. Son ouverture en septembre 1999 était une réponse provisoire à une situation d'urgence à l'égard des réfugiés fuyant la guerre au Kosovo. Au milieu de l'année 2000, d'autres ont pris leur place, en provenance d'autres régions du monde, d'Irak et d'Afghanistan principalement, mais aussi d'Iran, des Balkans et d'Afrique. Initialement, ce centre devait accueillir deux cents à trois cents personnes. À la fin du premier trimestre 2002, on y comptait plus de mille cinq cents personnes certains jours, avec un taux de renouvellement hebdomadaire qui atteignait un tiers de l'effectif. Ainsi, plus de 70 000 étrangers en situation illégale ont transité par ce centre entre septembre 1999 et octobre 2002. La majorité étaient le plus souvent inexpulsables parce que venus de pays en guerre, ou craignant avec raison des persécutions en cas de retour dans leur pays d'origine.

Deux certitudes prévalaient à l'égard de ces populations de la part de l'ensemble des acteurs sociaux (militants, élus, police, journalistes, etc.). La première était que l'intention initiale des immigrés clandestins, avant leur départ, était d'aller en Angleterre. Autrement dit que leur pays de destination finale était déjà programmé et fixé en toute connaissance de cause : l'Angleterre et aucun autre pays. La seconde certitude, plutôt propre aux élus et à l'État, était que le centre constituait un « véritable appel d'air » pour les clandestins. Autrement dit que la disparition de ce « lieu de fixation » supprimerait la venue en terre de France de centaines d'immigrés clandestins. Autre présupposé sur ce dernier aspect : Sangatte était connu de tous les candidats à l'immigration clandestine.

Examinons cette double certitude. Notre étude (*Après Sangatte*, 2003) sur les populations ayant fait une halte plus ou moins longue dans ce centre montre que c'est en France et en *cours de route*, sur les routes françaises, que la grande majorité des personnes ont eu accès à des informations stratégiques.

Notamment l'existence d'un endroit dénommé « camp de Sangatte », dont la vocation était d'accueillir les « réfugiés ». En réalité, c'est à Sangatte que les personnes ont eu la possibilité pratique de comparer des informations rudimentaires mais décisives sur les conditions d'accueil respectives de la France et de l'Angleterre. C'est en France, à partir d'une situation personnelle et collective que se jugent et se jaugent, s'évaluent et se discutent les coûts et profits possibles de la décision à prendre : rester en France ou « tenter » l'Angleterre. C'est là, au centre de Sangatte, que pour la majorité des personnes, l'Angleterre est devenue à la fois un projet collectif et un pays de destination finale. C'est dans cet espace circonscrit, mais non clos, contrairement à un centre de détention ou de rétention, et au contact des autres exilés, que l'Angleterre, qui n'était qu'un mot parmi d'autres dans la langue maternelle, est devenue un mot sur toutes les langues, une sorte de grammaire du monde, une destinée commune.

Complémentaire à cette certitude de l'existence d'un pays de destination finale dès le départ, la croyance que le centre de Sangatte constituait un « appel d'air » pour tous les « clandestins du monde », et que « sa fermeture réglerait une bonne fois pour toutes le problème de l'immigration clandestine ». Cette conviction, énoncée en toute méconnaissance de cause, dépasse largement le centre de Sangatte. Elle renvoie à une position politique et idéologique dont le présupposé est le suivant : si l'immigration n'est pas « contrôlée », c'est alors la loi de « l'appel d'air » qui prévaudra. Ce point est très important car il structure depuis quelques années l'espace des controverses et des polémiques sur le contrôle des flux migratoires et la lutte des pouvoirs publics contre l'immigration clandestine. Il est probablement l'aspect le plus politisé du débat. C'est aussi celui que personne ne prend jamais la peine de démontrer empiriquement. Prenons une nouvelle fois l'exemple de Sangatte. Dans notre enquête sur les caractéristiques sociologiques des populations accueillies là, nous avions mentionné le jeune âge des personnes : 25 ans en moyenne. Mais cette moyenne est trompeuse. En fait, il existe une différence sensible entre l'âge des Irakiens et celui des Afghans. Au moment de notre étude, les premiers avaient environ un peu plus de 27 ans, et les seconds un peu moins de 22 ans. Cela signifie que l'autonomie de la volonté, la capacité d'anticipation, de prévision et d'action des Afghans, dans les principales phases de l'aventure migratoire (départ, voyage et arrivée) étaient beaucoup plus réduites que celles des Irakiens. C'était le cas pour un grand nombre de jeunes Afghans et bien entendu des nombreux mineurs accueillis dans le centre, et qui continuent encore aujourd'hui d'arriver en France.

C'est parmi ces populations que la logique de la *remise de soi* à la communauté d'origine mais aussi aux passeurs est la plus manifeste et la plus complète. À défaut d'avoir une claire conscience des enjeux liés à l'exil, ils découvriront celui-ci en chemin. Pour eux plus que pour les autres, c'est en marchant et en marche que se construisent le chemin et la route à prendre. Leurs déplacements et leurs destinations sont gouvernés par d'autres, la famille, les « passeurs » et la communauté d'origine. « Pars et fais pour le mieux pour nous tous, là où c'est possible », c'est sans aucun doute la seule consigne à respecter impérativement. Dans ces conditions, ils iront, sans consignes précises, là où on les portera, c'est-à-dire presque systématiquement auprès de leur groupe en exil. Pour un grand nombre, ils trouveront à ce moment-là, et seulement à cet instant-là, de nouveau par nécessité, une famille et de la famille dans un pays de « destination finale ».

Cette interprétation va à l'encontre du modèle de *l'appel d'air*. L'appel d'air suggère explicitement des flux de populations non maîtrisés, dont la trajectoire est *unidirectionnelle*. Ainsi, il suffit, pense-t-on, de laisser se créer une occasion structurale (l'existence d'un centre d'accueil par exemple, un droit « généreux », etc.) pour suggérer aux immigrés qu'ils peuvent venir sans entrave, les « premiers » arrivés informant ceux qui attendent la belle aubaine. Mais, peut-être qu'en dernier lieu, la croyance en l'existence inéluctable de déplacements de populations lorgnant toujours dans la même direction repose sur une sorte d'imaginaire statistique débridé : il y en a tellement qui arrivent ou veulent venir que bientôt, on ne saura plus *où on est ni qui on est*.

"

DE L'IMMIGRÉ AU FRANÇAIS

Les naturalisations en France

Selon une étude publiée par l'INSEE en 2005, la nationalité française a été accordée à 144 640 personnes en 2003, ce qui représente une augmentation de 13 % par rapport à 2002, « proche du record » de 150 025 observé en 2000. Toujours selon l'INSEE, cinq pays constituent, depuis plusieurs années, les deux tiers des acquisitions : le Maroc, l'Algérie, la Tunisie, le Portugal, la Turquie. Par continent, la part des ressortissants des pays d'Europe diminue de 0,4 % (pour représenter moins de 15 % du total). Même constat pour les ressortissants des pays d'Asie (-0,9 %, soit 17 % de l'ensemble). À l'inverse, la part des personnes issues du continent africain augmente de près d'un point (63,3 % du total). La population des naturalisés est jeune. L'INSEE note que tous modes d'acquisition confondus (mariage, décret, déclarations anticipées...), l'âge moyen est de 26 ans. Un peu plus de la moitié d'entre eux ont moins de 21 ans et l'effectif se partage « de manière à peu près équilibrée entre les deux sexes ». 42 % des personnes ayant acquis la nationalité française sont nées en France.

* Dans ce chapitre, les chiffres sont issus de *Les Immigrés en France : une situation qui évolue*, Les immigrés en France, collection Références, INSEE, édition 2005. Dans la publication de l'INSEE, est « immigrée » une « personne née étrangère à l'étranger » ; une « famille immigrée » est celle « dont les deux parents sont immigrés ».

« Les immigrés ne veulent pas devenir français. »

*Si l'on ne donne pas une patrie aux jeunes immigrés
nés en France, ils se créeront dans leur tête une patrie
imaginaire. L'intégrisme et le fanatisme feront le reste :
au bout de l'exclusion, on trouve souvent
la délinquance et parfois le terrorisme.*

Michel Rocard

Il n'est pas sûr que seules les difficultés de l'intégration des populations étrangères soient au centre des controverses politiques sur l'immigration depuis une trentaine d'années en France. Plus radicalement, la légitimité de la présence de populations étrangères dans la nation française est aussi au cœur du débat. Contrairement aux États-Unis ou au Canada, la France a pendant très longtemps été réticente à admettre qu'elle était devenue un pays d'immigration. Toutes pratiques offrant quelques caractéristiques sociales et culturelles « spécifiques » étaient et restent encore perçues comme autant de résistances à une bonne intégration. Pourtant, quand on fait l'effort de regarder de près et de comparer ce qui est comparable, on s'aperçoit qu'une série d'indicateurs fondamentaux comme la langue, le taux de fécondité, les liens de sociabilité tissés dans la société française, les pratiques matrimoniales et religieuses, la mobilité sociale, etc., montrent que les populations étrangères, *avec le temps et par la médiation des enfants*, se rapprochent des modes d'existence dominants en France. Et ce alors que l'immigration a changé de nature depuis les années soixante-dix : elle est plus diversifiée, plus urbaine, plus féminine, plus scolarisée et plus qualifiée.

Les études sociologiques et statistiques, aujourd'-hui nombreuses, montrent que s'il subsiste des différences sociales et culturelles entre les immigrés et le reste de la population, elles tendent à s'atténuer, certes lentement, mais à s'atténuer tout de même. Si nous laissons de côté certaines pratiques condamnées par la loi comme la polygamie, l'excision ou le foulard à l'école, d'après les derniers résultats statistiques sur les populations immigrées en France, publiés en 2005 par l'INSEE, l'amélioration des conditions de vie de ces populations est observable dans de nombreux domaines. Sur le plan de l'éducation, s'il est vrai que les immigrés possèdent moins de diplômes que la moyenne des Français, la part de ceux qui ne disposent au plus que du certificat d'études a chuté de moitié entre 1982 et 1999 (de 81 à 42 %). Par ailleurs note l'INSEE, toujours à propos de l'école, à « caractéristiques sociales ou familiales comparables, les enfants d'immigrés ont des chances d'être lycéen général ou technologique au moins égales [à celles des autres] et présentent moins de risques [que les enfants de parents français] de sortie précoce du système scolaire ». En 1982, les « immigrés étaient deux fois moins nombreux que les non-immigrés à être diplômés du supérieur ; en 1999, ils le sont presque aussi souvent ».

Dans le domaine de l'emploi, les évolutions sont aussi perceptibles puisque de 1992 à 2002, la proportion d'ouvriers a diminué de 13,5 points dans la population immigrée ayant un emploi contre seulement 1,8 point pour les non-immigrés. Parallèlement, la progression dans les professions intermédiaires est respectivement de plus 3,5 points et de plus 1,8 point. Sans aucun doute, cette augmentation s'explique par le refus des enfants du modèle professionnel et des métiers des parents. Si l'on observe maintenant les changements démographiques de ces vingt dernières années, on perçoit ce que l'INSEE appelle un « rééquilibrage au sein même des immigrés, notamment entre hommes et femmes ». Ce rééquilibrage provient de la disparition lente mais inéluctable de l'ancien modèle migratoire : un homme venu seul travailler en terre d'immigration. Avec le regroupement familial, facteur dominant d'entrée sur le territoire français (79 %), les femmes représentent 50 % des immigrés.

À propos de ces dernières, il importe de souligner que si elles travaillent moins que le reste de la population française, leur taux d'activité a sensiblement progressé entre 1992 et 2002 : plus de 7,8 points pour les immigrées de 25 à 59 ans et 4,7 points pour les femmes non-immigrées. Elles sont surtout présentes dans les activités de services marchands tels que le nettoyage industriel, la restauration collective, l'aide sociale ou la petite enfance, la blanchisserie, l'hôtellerie, les administrations ou le milieu hospitalier. Autant de secteurs où les chances d'évolution professionnelles restent, il est vrai, relativement faibles.

Mais ces diverses évolutions positives ne doivent pas faire oublier que les immigrés, beaucoup plus que le reste de la population française, sont affectés par le chômage et la pauvreté. Le taux de chômage, dans la population immigrée, reste deux fois plus élevé (16,4 %), même au sein des cadres. Il touche plus particulièrement les personnes issues du Maghreb, d'Afrique noire et de Turquie. Il en va de même pour le chômage de longue durée : 40 % contre 33 % pour les non-immigrés. La pauvreté frappe plus sévèrement les populations étrangères : 15 % des ménages immigrés vivaient en 2001 en dessous du seuil de pauvreté (602 euros pour une personne seule) contre 6,2 % de moyenne nationale.

Ces chiffres et ces pourcentages, aussi précieux et nécessaires soient-ils, nous disent néanmoins très peu de choses sur les processus concrets d'intégration sociale et culturelle des populations immigrées à la nation française. Ces processus, nous avons pu les saisir au cours de notre étude sur les personnes régularisées en 1998 (François Brun, Smaïn Laacher, *Situation régulière*, Centre d'étude de l'emploi, 2001). L'intégration est en réalité faite de pratiques, de sentiments, de projets, et surtout d'un travail quotidien *d'inculcation et de seconde socialisation* de la part de la société et de ses institutions.

Ce travail fait de petits riens (avoir des enfants qui vont à l'école, travailler, parler la langue, avoir des amis français, devenir propriétaire, acquérir la nationalité française, etc.) qui ne cessent de s'accumuler est, sans aucun doute possible, celui qui affecte durablement et profondément les conditions d'existence des immigrés et leur rapport à l'avenir et à la société française. Bien souvent, la grande majorité des immigrés avait, avant même de venir en France, des liens personnels ou familiaux avec la société française. Ce qui se produit, au fil des ans, c'est que ces liens vont finir par devenir petit à petit, pour beaucoup, les seuls liens possibles. La société française s'impose comme la seule société possible, comme le seul horizon existentiel pour soi et la seule perspective possible pour ses enfants.

Certes, des différences peuvent exister en matière de projection dans l'avenir, mais majoritairement, de manière plus ou moins tranchée, ces populations excluent un retour définitif dans leur pays d'origine. Et contrairement à ce qui est souvent dit (en particulier chez les journalistes et les hommes politiques), nous n'assistons pas à un repli identitaire sciemment voulu et désiré comme tel. Les pratiques sociales des populations immigrées étudiées par les chercheurs traduisent le contraire, à quelques exceptions près, ainsi que nous l'avons souligné, comme l'excision ou la polygamie. Le regroupement de ces populations est bien plus le résultat d'un *effet social et institutionnel d'assignation territoriale* que d'une envie irrépressible de vivre entre soi. Ce qu'on appelle parfois « l'ethnicisation des quartiers » tient beaucoup plus à une politique du logement, à la faiblesse des revenus, au taux important de chômage, à l'impossibilité de stratégie résidentielle, etc. Il n'est dès lors pas étonnant que les rapports communautaires soient, par la force des choses, favorisés, avec leur cortège d'auto-exclusion, d'isolement social, de pression ethnique, en particulier à l'égard des femmes. Les enfants élevés et scolarisés dans ces univers sociaux et culturels voient se rétrécir les espaces relationnels dans lesquels les Français n'occupent plus de place dominante. L'intégration devrait plutôt s'assigner la résorption de toutes les *spécificités radicales*, qui vont à l'encontre de la construction d'un lien national avec la nation et la société française : réduction de la religion à la sphère privée, lutte contre toutes pratiques matrimoniales contraires à l'ordre public et au droit des personnes (droit français et conventions signées par la France), même égalité des chances scolaires entre les enfants d'immigrés et le reste de la population, lutte contre toute spécialisation professionnelle sur la base de l'appartenance ethnique, etc. Ce qu'on appelle ordinairement l'intégration ou l'assimilation n'est rien d'autre qu'être *naturellement* français (en droit), ou *naturellement* citoyen de la nation, avec des soucis ordinaires.

« Il faut être de nationalité française pour être citoyen. »

La vertu de justice consiste, si on est le supérieur dans le rapport inégal des forces, à se conduire exactement comme s'il y avait égalité.

Simone Weil, *Attente de Dieu*, 1985

Le thème du droit de vote et d'éligibilité aux élections locales d'étrangers non ressortissants de l'Union européenne est, dans l'espace politique français, ce qu'on appelle un « serpent de mer » : on ne cesse d'en parler sans jamais en percevoir un début de réalité. C'est à la fois un thème électoraliste et un enjeu symbolique puissant, puisqu'il met à l'épreuve le système de relation entre la nationalité et la citoyenneté. Il n'est pas inutile, en la matière, de rappeler quelques dates significatives. C'est en 1980-1981 que ce thème fait officiellement et solennellement son entrée dans le débat politique français, puisque le droit de vote des étrangers aux élections locales « après cinq ans de présence sur le territoire français » sera la 80ᵉ proposition du programme de François Mitterrand pour l'élection présidentielle. En août 1981, Claude Cheysson, alors ministre des Relations extérieures, en visite à Alger, annonce un projet de loi accordant le droit de vote aux étrangers aux élections municipales. Cette déclaration suscite aussitôt une série de réactions négatives de Jacques Blanc, secrétaire général du PR et de Jacques Chirac, président du RPR ; ainsi que du Front national. La

CFDT approuve quant à elle la proposition. François Autain, alors secrétaire d'État auprès du ministre de la Solidarité nationale chargé des immigrés, déclare sur France Inter et au journal *le Matin* de Paris qu'une telle disposition ne peut s'envisager que comme la conclusion d'un long processus d'intégration et que les immigrés ne voteront pas aux élections municipales de 1983. Toujours en août de la même année, Jean Colpin, secrétaire du comité central du PCF déclare dans le journal *l'Humanité* que son parti n'est pas favorable à une loi permettant aux étrangers de voter aux municipales. Jusqu'en 2005, les uns et les autres seront tantôt pour, tantôt contre. Certains estimeront qu'il est « temps », d'autres qu'il est « trop tôt », d'autres encore que « les Français ne sont pas prêts ». Enfin, les mêmes qui étaient, en 1983, défavorables au droit de vote des étrangers aux municipales, deviennent en 1988 de fervents partisans du vote et de l'éligibilité des immigrés aux municipales. Tel est le cas du PCF. En avril 1988, François Mitterrand réaffirme sur RTL qu'il est « personnellement » favorable au droit de vote des immigrés aux municipales mais non à leur éligibilité. Il y a plus dans la nuance ou le propos complexe : en mars 2001, Philippe Seguin, député des Vosges et candidat officiel du RPR aux élections municipales à Paris, se prononce pour le droit de vote aux municipales, mais seulement pour les immigrés issus des « pays de la francophonie ».

Qu'en est-il ailleurs qu'en France ? Parmi les 25 pays membres de l'Union européenne, l'Irlande, la Suède, le Danemark, les Pays-Bas, l'Estonie (sans éligibilité), la Finlande, la Slovénie et la Lituanie (avec éligibilité), le Luxembourg et la Belgique (sans éligibilité) ont accordé le droit de vote aux étrangers sans réciprocité, c'est-à-dire sans obligation d'un même traitement pour leurs propres ressortissants. L'Angleterre a accordé le droit de vote et d'éligibilité aux étrangers sans réciprocité, mais seulement pour les ressortissants d'États membres du Commonwealth (sujets de sa Majesté), le Portugal et l'Espagne avec réciprocité, sous condition de traité bilatéral. La Tchéquie et Malte ont adopté le modèle hispano-portugais. Le compte est vite établi : seuls cinq des anciens membres de l'Union européenne (la France, l'Allemagne, la Grèce, l'Italie et l'Autriche) n'accordent le droit de vote et d'éligibilité qu'aux étrangers ayant la nationalité d'un autre pays membre de l'UE. En Italie, les débats se poursuivent. En dehors de l'Union européenne, le droit de vote des étrangers, et parfois leur éligibilité, n'est nullement un fait marginal : tel est le cas en Norvège, en Islande, dans les cantons suisses de Neuchâtel, du Jura, de Vaux, dans quelques communes du canton d'Apenzell Rodhes-extérieures. On pourrait aussi citer, cette fois-ci en dehors de l'espace européen, des pays comme le Chili, le Pérou, l'Argentine, la Nouvelle-Zélande (sans éligibilité), etc.

Ainsi, penser que la relation entre la nationalité et la citoyenneté serait *naturelle et universelle* ne correspond pas à la réalité. Être d'abord le national d'un pays comme condition première pour exercer sa citoyenneté n'est vrai que dans certains pays. C'est le cas de la France. Cette question recouvre en fait deux aspects, le droit de vote proprement dit et l'éligibilité. C'est l'éligibilité qui pose un problème majeur de souveraineté. En effet, la désignation des maires et des conseils municipaux a une incidence directe sur l'élection des sénateurs. Le Sénat participe à la souveraineté nationale. Le vote des étrangers non communautaires serait donc, à juste titre, en contradiction avec la Constitution. Celle-ci a bien été modifiée et un nouvel article (art. 88-3) a été ajouté, mais seulement au bénéfice des seuls nationaux appartenant à un des pays membres de l'Union européenne. Mais ce ne sont pas seulement des arguments juridiques liés à des enjeux constitutionnels qui sont opposés aux partisans du droit de vote et d'éligibilité des étrangers aux élections municipales. Le plaidoyer en faveur du refus est essentiellement politique. Citons brièvement quelques-uns de ses éléments. Il ne peut y avoir de citoyenneté française sans lien juridique à la nation française ; « donner » le droit de vote aux étrangers non communautaires reviendrait à leur reconnaître une « double nationalité de fait » ; il y aurait une injustice à l'égard de ceux qui ont sincèrement voulu devenir français par la naturalisation, afin de s'engager dans l'avenir de la nation ; le droit de vote des étrangers irait à l'encontre de la construction d'une citoyenneté européenne ; les étrangers ne demandent pas le droit de vote mais de l'emploi, de la sécurité, un logement et de la réussite scolaire pour leurs enfants ; enfin, le droit de vote doit être « l'aboutissement d'une démarche et non un préalable ».

Il n'est nullement question ici de reprendre un à un ces arguments pour en faire une critique serrée. Énonçons néanmoins quelques principes à l'encontre d'un certain nombre d'idées reçues en la matière. Tout d'abord, la France est l'un des derniers pays de l'Union européenne à (faire semblant de) croire qu'il suffit d'être le national d'un pays pour être « intégré » et montrer de l'intérêt et de la passion politique pour sa société. D'autre part, beaucoup d'autres pays, proches de la France (culturellement, confessionnellement et institutionnellement) et tout aussi attachés qu'elle à leur souveraineté, ont pris acte d'une nouvelle réalité : des millions d'immigrés vivent depuis plusieurs années dans l'espace européen, et leur participation politique à la vie locale peut être un réel facteur d'intégration à la vie de la nation. Pourquoi les *étrangers communautaires* ont-ils le droit de vote et d'éligibilité aux élections municipales mais pas le droit d'être maire ou maire-adjoint ? Pourquoi ce qui est possible en Angleterre ne le serait-il pas en France ? Des pays comme la Suède, la Norvège, les Pays-Bas et le Danemark, dont le code de la nationalité est fondé sur le droit du sang, ont accordé le droit de vote aux étrangers. Et malgré des conditions difficiles d'acquisition de la nationalité, le droit de vote a eu pour effet, entre autres, de favoriser la naturalisation. Certes, il ne faut pas surestimer le poids de ce facteur dans le processus d'intégration sociale et culturelle. Lors des différentes élections européennes, la participation des *citoyens communautaires* a été relativement faible. Mais beaucoup d'immigrés *non communautaires* sont déjà présents et investis, directement ou indirectement, dans les affaires de leur ville ou de leur village, en payant des impôts, en participant à des activités associatives, politiques ou syndicales, etc.

Enfin, le refus de « découpler » la citoyenneté de la nationalité (ou vice versa) renvoie en dernier lieu à l'enjeu majeur suivant : seuls ceux qui sont proches, sous le triple rapport de la culture, de la confession et du territoire, méritent cette entorse sans risque aux principes historiques et juridiques. La meilleure illustration de ce que nous venons de dire réside dans la discrimination entre ceux pour qui on accepte une dissociation entre nationalité et citoyenneté, les citoyens de l'Union européenne et tous les autres, et les immigrés du tiers-monde, pour qui cette séparation ne semble pas encore admissible.

« L'islam est un frein à l'intégration des immigrés. »

C'est une tragique illusion que de vouloir faire coexister dans un même pays des communautés ayant des civilisations différentes. L'affrontement est alors inévitable. Les grands conflits ne sont pas des conflits de race, mais de croyance et de culture.

Michel Poniatowski

Il est aujourd'hui difficile d'évoquer l'immigration et l'intégration sans faire référence à l'islam, sans que cette religion ne soit convoquée comme grille de lecture et d'interprétation dominante des faits migratoires. Les débats à ce sujet sont devenus, plus particulièrement depuis le 11 septembre 2001, extrêmement nombreux et, il importe de le souligner, passablement confus. Il n'y a pas si longtemps, pendant toute la période de l'immigration de travail (hommes venus seuls, vivant enfermés dans le groupe des immigrés), l'islam fut finalement une pratique confessionnelle ou une croyance privée. *L'islam privé* d'alors, domestique, ou ce que certains ont appelé « l'islam des caves », était absent de l'espace public. C'était un islam d'immigrés sans communauté ni territoire, sans expression ni manifestation publiques, inavoué et embarrassé, un islam pour soi et entre soi, d'anciens pour les anciens. Ces immigrés, taraudés par le sentiment de la faute et l'obsession du retour (ou du passé), vivaient dans une grande précarité sociale et surtout plaçaient le travail au centre de leur existence. Dans un espace d'interconnaissances fortement réduit, travailler et vivre tendaient à se confondre. On travaillait pour faire vivre les siens, pour vivre et aussi parce que cela obligeait à vivre lorsque les conditions d'existence étaient invivables.

À cet islam des anciens immigrés s'est peu à peu substitué, avec une fraction des nouvelles générations (françaises ou non), un islam militant et publiquement proclamé, construit comme le ressort et le mode d'expression privilégié de l'identité et de l'identification sociale. L'autonomisation progressive et irréversible de l'immigration à l'égard des pays d'origine a induit des effets sociaux et symboliques sur la manière d'être musulman en terre non musulmane. Plus encore, *l'islam immigré* s'est doublement particularisé, par rapport à l'islam des pays du Maghreb d'une part, et par rapport à la manière d'être musulman des pays musulmans d'autre part. Pour mieux s'en rendre compte, il faut tout d'abord s'écarter de deux croyances plus ou moins liées entre elles, mais sans aucun fondement empirique, en tout cas jamais démontrées : les crises de toute nature qui secouent le monde arabe et musulman ont un effet direct sur le regain de religiosité des immigrés de confession musulmane en France ; l'islam en France est un et indivisible, autrement dit, il n'existe pas une pluralité de pratiques religieuses d'intensité variable, mais un monde musulman pratiquant une religion identique, à la signification univoque.

Il est vrai que parfois, dans un effort louable de compréhension, on en vient à mentionner le caractère « pluriel » de la « communauté musulmane », mais sans jamais se demander si les pratiques religieuses ont quelques relations organiques avec la nationalité et l'origine sociale. C'est sans aucun doute cette cécité analytique qui rend possibles les nombreuses confusions conceptuelles sur le sujet et les effets d'homogénéisation sociologique. Pourtant, sur ce thème comme sur beaucoup d'autres concernant les populations immigrées, une rigueur scientifique adossée à un matériau empirique maîtrisé montre que les pratiques religieuses, même quand il s'agit de l'islam, non seulement doivent être toujours *contextualisées*, mais diffèrent fortement selon le groupe ethnique, la nationalité, l'origine sociale, le sexe et la qualité de la scolarisation.

Précisons la notion de contexte. Dire que les pratiques doivent toujours être rapportées à leur contexte, en matière de religion musulmane et dans le cas des immigrés, signifie la chose suivante : qu'ils soient ou non français de nationalité, même si la religion est le dernier support auquel il est possible de s'accrocher ou de se raccrocher, celle des immigrés en terre d'immigration reste une religion sans contexte ni nation, sans terre ni cadre temporel et spirituel approprié. Ainsi, si l'on se donnait la peine d'examiner de près l'intensité des pratiques religieuses et leurs modes d'expression (pour une approche chiffrée, Michèle Tribalat, *Faire France*, 1995 ; cf., aussi Mustapha Belbah, « À la recherche des musulmans de France », in *Exils et Royaumes : les appartenances au monde arabo-musulman aujourd'hui*, ouvrage collectif, sous la direction de Gilles Kepel, 1994), on s'apercevrait que les Algériens fréquentent beaucoup moins les lieux de culte que les Mandés d'Afrique noire (majoritairement musulmans), et que les premiers pratiquent beaucoup moins leur religion que les seconds. Plus encore, les Algériens sont beaucoup plus nombreux à déclarer « n'avoir pas de religion ou ne pas pratiquer » (Michèle Tribalat, *op. cit.*) que les Mandés d'Afrique noire qui, dans leur grande majorité, sont pratiquants. Au sein des femmes migrantes, la pratique religieuse est généralement plus importante que chez les hommes ; mais ce sont les femmes immigrées turques et marocaines qui pratiquent avec le plus d'assiduité leur religion. Ces différences n'épargnent pas des communautés ayant la même nationalité. C'est le cas des Arabes et des Berbères. Alors que les Arabes marocains ont des pratiques régulières équivalentes, il en va différemment entre les Kabyles d'Algérie et les Berbères du Maroc. La majorité des Kabyles déclarent ne pas pratiquer ou ne pas avoir de religion (deux fois moins que les Arabes). Cette différence se retrouve entre les femmes kabyles et les femmes arabes. La situation est très différente pour les Berbères du Maroc : ils sont dans leur très grande majorité pratiquants, les femmes légèrement plus que les hommes.

Si l'on quitte les populations immigrées et qu'on s'intéresse à leurs enfants nés en France, la fréquentation des lieux de culte et la pratique religieuse baissent très nettement d'intensité. La majorité des enfants issus de l'immigration sont non-croyants et non-pratiquants. La proportion de cette population « est très proche de celle observée dans l'ensemble des jeunes du même âge résidant en France (près de 70 % des hommes et de 60 % des femmes). Ils s'en distinguent cependant par une plus grande assiduité : 10 % de pratique religieuse chez les jeunes gens d'origine algérienne, un peu plus chez les jeunes femmes, soit, dans les deux cas, le double de la moyenne en France. Relativement aux immigrés, cela représente néanmoins une forte diminution des pratiques régulières » (Michèle Tribalat, *op. cit.*). Nombreuses sont les études qui ont montré que plusieurs variables pesaient fortement sur le degré et l'intensité des pratiques religieuses, en particulier une scolarité longue, le mariage mixte, la situation matrimoniale, le lieu de résidence et l'environnement. Cette dernière variable est très importante. L'environnement social et la qualité de l'espace habité constituent, sans aucun doute, un élément déterminant dans le rapport à la religion et à ses formes d'expression. Plus le quartier sera composé de groupes sociaux défavorisés, plus il sera le lieu de regroupements d'immigrés pauvres, plus les injonctions symboliques et physiques à se conformer aux impératifs religieux et ethniques deviendront nombreuses et impératives. C'est la *dispersion territoriale* des immigrés, et non leur concentration dans certains espaces, qui favorise la non-croyance religieuse ou sa pratique domestique, tout comme elle accroît l'émancipation des personnes à l'égard du jeûne et des interdits alimentaires. Même si ces pratiques continuent d'exister, elles sont plutôt cantonnées dans la sphère privée.

Terminons sur la dimension la plus controversée de la pratique religieuse d'une minorité d'immigrés musulmans : l'islam militant. Les mêmes causes produisent les mêmes effets : l'islam est l'expression d'un groupe dominé auquel la religion confère son identité (Mustapha Belbah, *op. cit.*). C'est parce que l'islam cumule objectivement les caractéristiques de l'ancienne domination (il fut une « arme » de résistance en situation de colonisation) et de la nouvelle domination (il devient une « arme » d'identification sociale pour les plus déclassés en terre d'immigration) qu'il semble faire « l'objet d'une surdétermination de sens qui autoriserait à dire qu'il n'y a d'islam que politique » (A. Sayad). L'identité dont il est question ici est une *identité totale ou totalitaire*, au sens où elle refuse (souvent violemment) l'existence d'une pluralité de sphères (l'économie, le droit, la science, le politique, la religion, etc.) dotées de leur propre rationalité et de leur principe de justification. Cette identité semble surtout avoir pour fonction d'affirmer bruyamment, mais de manière artificielle, une série d'appartenances politiques (avant même d'être proprement religieuse) à des groupes et à des sociétés dominés ou jugés comme tels : les « Arabes », les « musulmans », les « nations pauvres », le « tiers-monde », les pays « colonisés », etc. Cette sorte de *solidarité instinctive* pour toutes les identités aliénées trouve ses formes d'expression ultimes et quasi défi-nitives par la médiation de la religion et d'autres emblèmes symboliquement surdéterminés comme « la lutte du peuple palestinien ». Les immigrés, en particulier ceux issus du Maghreb ou de parents maghrébins, même quand ils sont français, doivent-ils rester *fatalement* des musulmans ? Immigrés musulmans français, ou français musulmans immi-grés ou musulmans français immigrés, etc., quel que soit l'ordre de la perception ou la spontanéité de la définition, les immigrés qui ont l'islam pour *religion d'assignation* ne peuvent qu'user de la religion qui leur est assignée pour se distinguer et à l'inverse, nous dit encore A. Sayad, ne peuvent que sacraliser, et rendre religieux (c'est-à-dire musulman) tout ce qui les distingue.

Il ne fait aucun doute que cette posture reste minoritaire. De nombreuses études sociologiques l'ont suffisamment montré. La dernière enquête de l'Institut américain Pew Research Center (cf. le compte rendu du journal *Le Monde* en date du mardi 29 août 2006), réalisée en 2006 auprès de musul-mans de quatre pays européens (France, Angleterre, Allemagne et Espagne) montre que 72 % de Français musulmans ne perçoivent aucun conflit entre le « fait de pratiquer l'islam et le fait de vivre dans une société moderne ». Toujours d'après l'enquête menée par l'Institut américain, « 91 % des Français musulmans ont une opinion favorable des chrétiens et 71 % une bonne opinion des juifs ». Tel n'est pas le cas des musulmans britanniques, allemands et espagnols : ils sont respectivement 32 %, 28 % et 38 %, à « avoir une bonne opinion des juifs ». Autre résultat intéressant, la « préférence pour l'assimilation » des Français musulmans : 78 % souhaitent se conformer aux « traditions nationales » (contre 41 % en Angleterre et 30 % en Allemagne).

L'islam, pour la grande majorité des musulmans de France, quelle que soit leur nationalité, n'est donc pas un facteur de communautarisation ou de retrait de la société française. Dans des domaines aussi importants que la socialisation, la scolarisation, le mariage mixte (plus problématique pour les filles issues de familles musulmanes, il est vrai), le respect des lois de la république ou la laïcité, les musulmans ne font pas de la république et de l'islam deux entités distinctes et inconciliables. Les études et les sondages, là aussi, l'attestent : leur souhait est d'être reconnus avant tout comme des citoyens et non d'être perçus et définis en tant que musulmans.

« L'école n'assure plus la mobilité des immigrés et de leurs enfants. »

> *L'éducation qui, dès l'enfance, forme à la vertu, et qui inspire aux hommes le désir passionné de devenir des citoyens accomplis en les rendant à la fois capables de commander et d'obéir conformément à la justice.*
>
> Platon, *Les Lois*

Il n'est pas difficile de comprendre et d'admettre l'importance que revêt l'institution scolaire dans la vie de la nation et des individus. En France, l'école a toujours été cet espace perçu et désigné comme *sacré*, au sein duquel se construisent, se transmettent et se maintiennent à la fois la langue, le savoir, la culture et l'identité nationale. L'institution scolaire, plus qu'aucune autre, transmet et préserve le fil invisible qui relie les individus et les groupes les uns aux autres, les parties au Tout, rend possible une société et la croyance en une commune collectivité. Jamais autant qu'aujourd'hui l'immigration, les familles immigrées, l'école, l'ordre social et la nation n'ont été aussi étroitement associés et cette association n'a jamais suscité une aussi grande inquiétude de la part de l'État et de la société. L'apparition fortement médiatisée du « foulard islamique » au début des années quatre-vingt-dix et les débats qu'il a suscités sur « l'école, la religion et la laïcité » ne sont, finalement, qu'une préoccupation supplémentaire de la société française avec certains de ses élèves et certaines populations immigrées ou issues de l'immigration. Cette préoccupation relativement nouvelle n'avait pas, et n'a toujours pas pour objet de réfléchir (et d'agir) sur les effets scolaires de la position sociale dominée des immigrés et de leurs enfants. Le thème du « foulard islamique » a suscité de nombreuses controverses passionnées, plutôt sur les difficultés de *définir* culturellement et religieusement l'avenir de ces populations dans la nation. À l'évidence, la production d'une connaissance scientifique sur la complexité des trajectoires scolaires, le rapport à l'école selon l'histoire migratoire et familiale, et les effets socialement bénéfiques d'une scolarité longue, a trop souvent été minimisée, reléguée au second plan ou bien jugée trop savante, parce que moins spectaculaire, moins médiatique et finalement moins symboliquement gratifiante que les discours populistes et misérabilistes ayant pour seul trait commun leur *vision impressionniste*. Ce qui est privilégié dans ce domaine de recherche, c'est bien plutôt le « récit biographique », le témoignage indigné, l'entretien, la monographie ou le rapport d'expert.

Il faut se tourner vers les appareils statistiques officiels comme celui de la Direction de l'évaluation et de la prospective (DEP) du ministère de l'Éducation nationale pour avoir une idée nettement moins idéologique des parcours scolaires et de la réalité de l'échec et de la réussite scolaire des enfants d'immigrés. Ainsi, d'après une étude du ministère de l'Éducation nationale sur la situation scolaire, en 2002, d'un panel de 16 701 élèves entrés en sixième en 1995 (Yaël Brinbaum, Annick Kieffer, « D'une génération à l'autre, les aspirations éducatives des familles immigrées : ambition et persévérance », revue *Éducation et formation*, n° 72, septembre 2005), 27 % des enfants d'immigrés avaient réussi à préparer un baccalauréat général, contre 40 % d'élèves issus de familles non-immigrées. Mais, et c'est l'apport principal de cette étude, si on regarde les performances et les ambitions scolaires à situation sociale et familiale comparable, les enfants d'immigrés sont plus nombreux que les enfants de parents français à préparer un tel examen. Prenons un exemple. Dans le cas d'une famille de deux enfants, dont le père est un ouvrier qualifié et la mère inactive mais tous les deux pourvus d'un CAP, les élèves dont les parents sont maghrébins ont, selon les auteurs de l'étude, 26 % de chances d'entrer dans un lycée général contre 20,7 % pour les enfants de parents français. La situation est encore plus favorable pour les élèves d'Asie du Sud-Est puisque leur pourcentage s'élève à 37,6 %. Pour les enfants de parents turcs par contre, les chances d'entrer dans un lycée général chutent significativement (12,7 %). Quant aux élèves de parents étrangers originaires d'Afrique noire, ils ont des chances comparables aux enfants de parents français d'accéder à un lycée d'enseignement général.

Pour mieux saisir les disparités et les différences entre les académies et les régions, les enquêtes nationales peuvent être très utilement complétées par des études à portée géographique plus limitée. Prenons deux exemples pour étayer notre proposition, la « ségrégation » scolaire et la réussite des filles. Une étude menée par Georges Felouzis avec la collaboration de Françoise Liot et Joëlle Perroton (*L'Apartheid scolaire*, 2005), dans la région de Bordeaux, montre l'ampleur des ségrégations ethniques au sein de l'école. Cette recherche a porté sur la répartition des 144 000 collégiens de l'académie de Bordeaux. La distribution des élèves selon l'origine sociale et nationale est très inégalitaire : dans certains établissements, près d'un élève sur deux a un prénom qui indique « une origine étrangère ». Ces inégalités sont davantage renforcées, ou encore plus flagrantes, lorsque le prénom a une « consonance » maghrébine, turque ou d'Afrique noire : seulement 10 % des collèges scolarisent 40 % du total des élèves « présumés » issus de ces trois groupes. À l'autre bout de l'espace scolaire, seul un quart des collèges scolarisent chacun moins de 1 % de ces élèves étrangers et/ou d'origine étrangère. Deux causes principales expliquent cette situation. La première raison est la ségrégation de l'espace : il existe aujourd'hui en France des territoires pour immigrés ou des territoires d'immigrés où se cumulent et se concentrent les effets de la pauvreté économique, une crise du logement, un chômage massif, l'inexistence ou la faiblesse des revenus. La seconde raison est liée aux stratégies de contournement de la « carte scolaire » de la part de familles qui en ont les possibilités financières et sociales, et la « fuite » vers les établissements scolaires privés. Il n'est pas difficile, dans ces conditions, d'imaginer les conséquences de telles concentrations sur le niveau scolaire et l'avenir social de ces élèves. On peut légitimement s'interroger sur le décalage, au moins dans ce type de configuration, entre le discours républicain sur l'égalité des chances et la réalité sociale et scolaire des établissements les plus guettoïsés.

Venons-en maintenant à notre second exemple, celui de la réussite scolaire des filles immigrées ou issues de l'immigration. D'après une étude (*L'Institution scolaire et ses miracles*, 2005) que nous avons nous-mêmes réalisée sur les différences de réussite au baccalauréat selon le sexe et la nationalité (français et « étrangers ») dans la région de l'Île-de-France, les effectifs des étrangers restent trop faibles, statistiquement, pour autoriser quelque hypothèse sur une prétendue réussite des filles supérieure à celle des garçons, encore moins à en tirer des conclusions sociologiques ou psychosociologiques (« la volonté d'émancipation des filles », etc.). Il est préférable de s'interroger sur l'articulation entre choix et orientation des sections d'enseignement pour les filles, afin de préciser les différences dans les résultats à l'examen du baccalauréat. On sait que pour les élèves français, la profession et catégorie sociale (PCS) des parents et le sexe sont des facteurs discriminants, localement et nationalement. Il en va quelque peu différemment pour les étrangers. Pour ces derniers, ce sont la PCS et la série et non le sexe qui sont déterminants dans la prolongation de leur scolarité. Dans la catégorie étrangère, les différences dans le taux d'accès au bac entre filles et garçons ne renvoient pas à une opposition entre des volontés différentes de réussir scolairement. Aux uns, les garçons, une indocilité aux contraintes scolaires ; aux autres, les filles, une lucidité extraordinaire, prêtant à l'école une capacité d'émancipation non moins extraordinaire. Dans la configuration que nous examinons ici, on peut raisonnablement prêter, en gros, les mêmes intentions aux uns et aux autres : tenir et se maintenir le plus longtemps à l'école, afin de ne pas en sortir désarmé. Plus encore, l'école aura indéniablement suscité pour beaucoup une volonté de mobilité sociale. La preuve en réside dans le refus explicite de faire le même « métier » que le père ou la mère, quand cette dernière en possède un ou en a exercé un. Les secteurs traditionnellement « réservés » aux immigrés, comme l'hôtellerie, l'industrie, la restauration, le bâtiment, les services aux particuliers, sont marqués par la disqualification et le rejet. Ce sont plutôt les métiers du commerce et de l'administration qui attirent les enfants d'immigrés.

On peut comprendre que sur fond de violence dans les banlieues (violence imputée généralement aux garçons), la question de l'échec scolaire s'est déplacée vers celle, plus socialement valorisante, de la réussite scolaire des immigrés et plus particulièrement celle des filles. Mais bien plus que cette différence, la recherche et la compréhension des effets sociaux et scolaires différentiels entre enseignement général et technique paraît beaucoup plus pertinente. Car cette différence est particulièrement marquante. Elle renvoie à une expérience scolaire et à ses conditions d'acquisition, ainsi qu'à l'existence d'un système d'expectation, en grande partie déterminé par cette même expérience. On peut penser que pour les filles et les garçons, différemment bien entendu, et probablement plus fortement pour les bacheliers de l'enseignement général, l'école aura produit des effets sociaux et symboliques sur les familles et leurs enfants et devancé, sinon fortement contribué, à redéfinir le modèle d'excellence parentale. Ce afin d'introduire un nouveau droit des personnes, moins fondé sur un droit jugé naturel, celui lié au sexe et à l'âge.

La HALDE

La Haute Autorité de lutte contre les discriminations et pour l'égalité (HALDE) est une autorité administrative indépendante créée par la loi du 30 décembre 2004. Elle a pour mission générale de lutter contre toutes les discriminations prohibées par la loi (racisme, sexisme, handicap, âge, intolérance religieuse, homophobie), de fournir toute l'information nécessaire, d'accompagner les victimes, d'identifier et de promouvoir les bonnes pratiques pour faire entrer dans les faits le principe d'égalité. Elle dispose de pouvoirs d'investigation pour instruire les dossiers. Elle est habilitée à saisir le Parquet. Outre le recueil des plaintes, la HALDE a aussi pour mission de procéder à des tests de discrimination et de mener des actions pédagogiques pour le respect de l'égalité des chances. La HALDE a reçu environ 2 000 plaintes depuis sa création, et une quarantaine ont été transmises à la justice. La discrimination la plus fréquente est celle en rapport aux « origines » (40 % des cas), suivie de celle liée à la santé et au handicap (14 %).

« Les immigrés ne s'insèrent pas dans le marché du travail. »

Entre 1992 et 2002, la part des ouvriers a reculé de 13,5 points parmi les immigrés ayant un emploi contre seulement 1,8 point pour les non-immigrés. Dans le même temps, les professions intermédiaires ont progressé de façon plus soutenue pour les immigrés : 3,5 points contre 1,3 point.

Chloé Tavan, INSEE, septembre 2005

L'immigration de travail en France est ancienne. Si pendant longtemps, les travailleurs étrangers ont occupé des postes désertés par les nationaux, ce phénomène n'est plus vrai depuis quelques années. Tout d'abord parce que l'immigration elle-même a changé. Elle est géographiquement et culturellement plus diversifiée, nettement plus urbaine, plus féminine et beaucoup plus scolarisée et qualifiée que les premières immigrations issues de la colonisation. Ces transformations morphologiques ont eu pour effet, entre autres, de produire une main-d'œuvre étrangère plus hétérogène, plus mobile professionnellement, et surtout plus dispersée dans l'appareil productif français. On peut, sans risque d'erreur, dire qu'il existe aujourd'hui, dans le champ de l'immigration, une main-d'œuvre étrangère sans qualification et une main-d'œuvre étrangère diplômée et qualifiée. Ainsi, l'assignation du travailleur immigré à une position sociale et à un *emploi pour immigré*, ne correspond ni à la réalité sociologique ni à la réalité historique présente. Certes, ces deux populations, comme toutes les catégories professionnelles en France, sont inégalement touchées par les multiples crises économiques des années quatre-vingt et quatre-vingt-dix, mais elles ont pour caractéristique commune fondamentale leur spécificité en matière d'insertion sur le (ou les) marché du travail.

Toutes les études l'ont montré, la main-d'œuvre étrangère a non seulement plus de difficultés que le reste de la population à accéder à un emploi mais aussi, ce qui n'est pas sans lien, elle est plus socialement fragile face au chômage, qu'il soit de courte ou de longue durée. À propos de ce dernier aspect, précisons que la vulnérabilité des étrangers face au chômage s'explique en grande partie par le fait que pour beaucoup d'entre eux, le niveau de qualification est plus faible que la moyenne de la population. En 1999, 45,6 % des étrangers déclarent ne posséder aucun diplôme et seuls 5,5 % affirment être détenteurs du baccalauréat général. Cependant, note Mouna Viprey, « l'évolution entre 1990 et 1999 présente des signes d'amélioration du niveau de qualification des étrangers présents en France : en 1990, seuls 3,2 % des étrangers déclaraient un diplôme de type bac + 2 ou BTS/DUT contre 5,2 % en 1999 et, en 1990, 5,3 % des étrangers déclaraient un diplôme supérieur de l'enseignement contre 8,9 % en 1999 » (Mouna Viprey, « Spécificités de la main-d'œuvre étrangère sur le marché du travail français », *Santé, Société et Solidarité*, n° 1, 2005).

La lenteur et les difficultés d'insertion professionnelle valent aussi, certes dans une moindre mesure, pour les enfants français issus de deux parents immigrés. Scolarisés dans des proportions infiniment supérieures à leurs parents, possédant bien souvent une qualification professionnelle, socialement et culturellement intégrés à la société française, ayant une relativement bonne connaissance des normes sociales, on pourrait penser qu'ils sont beaucoup plus armés pour affronter les critères explicites (et implicites) sollicités pour un emploi. En réalité, tel n'est pas le cas. Certes, il faut nuancer notre propos car là aussi, les sociologues et les économistes convergent dans leurs analyses et leurs constats : il existe une mobilité professionnelle des enfants d'immigrés. « Comme pour les évolutions des taux de chômage entre 1982 et 1990, à âges identiques, les dynamiques de la mobilité sont relativement proches pour les jeunes d'origine immigrée ayant un emploi et pour ceux issus de familles françaises de plus longue date. Les résultats confirment aussi que c'est davantage à l'entrée sur le marché du travail, plutôt qu'une fois qu'ils y sont insérés, que les jeunes d'origine maghrébine souffrent de discriminations qu'ils ressentent. Ainsi, d'après un sondage effectué en novembre 1993, 43 % des jeunes adultes enfants d'immigrés maghrébins déclaraient avoir souffert de discriminations à la recherche d'un emploi, tandis que 18 % de ceux qui exerçaient un métier déclaraient souffrir de pratiques ou de comportements racistes à leur encontre sur le lieu de travail » (Jean-Luc Richard, *Partir ou rester ?*, 2002 ; les pourcentages cités par l'auteur sont issus d'un sondage SOFRES effectué du 2 au 8 novembre 1993 pour France 3 et *Le Nouvel Observateur*). Ce constat est confirmé par d'autres enquêtes comme celle de Michèle Tribalat (*op. cit.*). Dans son chapitre consacré à la « mobilité sociale, précarité et difficultés d'accès à l'emploi », l'auteur montre qu'en réalité, les différences de mobilité sociale par l'emploi certes existent entre les immigrés et le reste de la population, mais qu'elles sont plus importantes entre les diverses nationalités ou les différentes populations immigrées. Ainsi, après 1974, les catégories ouvrières ont diminué pour les Algériens et les Marocains alors que pour les Portugais et les Turcs, quelle que soit la date d'entrée, la proportion d'ouvriers est restée stable : 80 %. Pour ces dernières populations, les professions « intermédiaires » et « supérieures » ne regroupent respectivement que 1 % et 6 %. Les Algériens et les Marocains arrivés en France avant 1975 étaient, dans leur très grande majorité (les trois quarts), des ouvriers. Dans ces groupes, les professions intermédiaires et supérieures ne représentaient, pour chacun, que 3 %. Les immigrés d'après 1974 ne sont plus ouvriers qu'à 38 % pour les Algériens, et 45 % pour les Marocains. 19 % des Algériens et 28 % des Marocains se distribuent dans les catégories « intermédiaires » ou « supérieures », avec une forte attirance pour le secteur public chez les Algériens. Quant à la *mobilité du père au fils*, l'étude de Michèle Tribalat nous apprend que parmi les enfants d'immigrés algériens et espagnols, il y a moins d'ouvriers et que les ouvriers sont le plus souvent qualifiés : « Pour ceux qui ont occupé un emploi, les fils d'ouvriers ont fait mieux que leur père et ceux d'origine algérienne ou espagnole sont plus souvent sortis de la classe ouvrière que la moyenne des fils d'ouvriers en France. Les premiers, lorsqu'ils sont ouvriers, sont les plus nombreux à être qualifiés. La part des ouvriers non qualifiés n'est chez eux que de 38 % contre 55 % en moyenne en France » (*op. cit.*).

La situation est quelque peu différente pour les femmes immigrées et issues de l'immigration. Pour les Maghrébines et les Turques, la difficulté première n'est pas tant celle d'une mobilité sociale ou professionnelle que celle d'assurer les conditions d'une relative émancipation culturelle ou d'une *mobilité culturelle*. Avant d'investir l'espace du travail et des activités sociales de manière autonome, il s'agit de pouvoir aller et venir librement, sans contrainte ni surveillance, de l'espace domestique à l'espace social. On pourrait dire, sans caricature aucune, que pour beaucoup de femmes issues de cette immigration, l'enjeu premier est d'abord de sortir de la sphère privée puis d'accéder au marché du travail. Cette situation trouve sa traduction statistique dans une plus grande inactivité professionnelle des femmes venues d'Algérie, du Maroc et de la Turquie. Alors que les femmes originaires d'Espagne, du Portugal et d'Afrique noire sont, à âge égal, aussi actives que la moyenne des Françaises, les femmes algériennes, marocaines et turques sont moins souvent actives, respectivement 61 %, 44 % et 39 % à 30-39 ans (Michèle Tribalat, *op. cit.*). Seule l'arrivée en France dès leur plus jeune âge est susceptible de modifier le destin des femmes de ces pays fortement religieux et patriarcaux. Elles sont alors le plus souvent actives, quelle que soit la nationalité des parents : « À 20-29 ans, les taux d'activité se situent dans une fourchette allant de 57 % chez les jeunes femmes du Sud-Est asiatique à 91 % chez celles du Portugal, écarts reflétant surtout des âges de sortie de l'école variables. Chez les jeunes femmes de Turquie, qui ont quitté l'école très tôt, 70 % travaillent ou souhaitent le faire (contre 31 % des femmes du même âge entrées adultes). Les jeunes femmes élevées dans des familles immigrées d'Algérie, qu'elles soient nées en France ou non, connaissent des taux d'activité voisins de la moyenne nationale ». Bien entendu, cela ne garantit pas un emploi, ni ne protège complètement contre les discriminations à l'embauche. Les difficultés rencontrées par les familles immigrées et leurs enfants dans le domaine de l'emploi (perçues avant tout comme des personnes d'origine étrangère), non pas une fois employées mais avant d'avoir un emploi, indiquent sans ambiguïté (cela ne veut pas dire *preuve à l'appui* dans chaque cas) que, bien souvent, ce qui détermine les choix en matière de recrutement, mais aussi de licenciement, est plutôt extra-économique. Donc non rationnellement économique au regard des seules exigences et des seuls critères du marché du travail. Mais il importe de préciser que les obstacles à l'embauche, rencontrés en particulier par les salariés étrangers, ne relèvent pas seulement d'un *refus subjectif* de l'employeur. Des interdits législatifs existent en la matière et réservent certains emplois aux seuls nationaux. Et cela même si le préambule de la Constitution dispose que « chacun a le devoir de travailler et le droit d'obtenir un emploi », et que « nul ne peut être lésé, dans son travail ou son emploi, en raison de ses origines, de ses opinions ou de ses croyances ». Les raisons invoquées (explicitement et implicitement) par le législateur sont, pour l'essentiel, le caractère sensible de certaines professions liées à la souveraineté de l'État et de la nation française, ainsi que la protection de l'emploi contre la concurrence étrangère.

On le voit, le préambule de la Constitution ne concerne pas la main-d'œuvre étrangère, celle-ci n'a pas le droit d'obtenir n'importe quel emploi. Enfin, des enquêtes maintenant nombreuses montrent que parallèlement aux *exclusions légitimes*, celles inscrites dans la loi, le marché du travail français, comme beaucoup d'autres en Europe et dans le monde, maintient des comportements économiques et culturels à la fois juridiquement et moralement illicites. C'est dans cette perspective qu'a vu le jour la loi de décembre 2004 instituant la Haute Autorité de lutte contre les discriminations et pour l'égalité (HALDE).

Conclusion

Nous voilà arrivés au terme de notre étude. Tous les thèmes abordés sont traversés par une donnée structurale : le fait migratoire et les déplacements de populations (contraints ou non) sont aujourd'hui au cœur de la cohésion des sociétés et des nations, et sont devenus des enjeux d'une grande importance dans le champ des relations internationales.

Rares sont aujourd'hui les réunions régionales ou internationales, en Afrique, au Maghreb ou en Europe, qui n'inscrivent pas la question de l'immigration légale et celle de la lutte contre l'immigration illégale à l'ordre du jour. Ces deux types d'immigrations sont d'ailleurs présentées et discutées comme deux phénomènes inséparables. Il n'en a pas toujours été ainsi. Les refoulements, les expulsions, les réadmissions, les réinstallations de réfugiés statutaires dans un autre pays que celui qui a donné l'asile, sont autant d'activités qui mobilisent les États et font l'objet de difficiles et longues négociations ; les uns et les autres n'étant pas, contrairement à ce qu'on croit, dépourvus d'armes de chantage. Quand les uns avancent l'arme de l'aide économique, qu'ils lient au contrôle à la source des flux migratoires, les autres, les gouvernements des pays de départ et ceux des pays de transit, font parfois pression sur les pays du Nord en *facilitant* la circulation des clandestins. Les milliers de personnes noyées en mer ou mortes de faim et de soif dans le désert l'ont été aux portes de l'Europe, en général loin de chez eux. Au sein des sociétés les plus industrialisées, l'intégration économique, sociale et politique des populations étrangères et de leurs enfants (français ou non) devient une des préoccupations majeures. La politique de la ville menée en France depuis 30 ans, sans résultats significatifs, n'a ni freiné ni inversé la *territorialisation des inégalités*, qui a d'abord touché les plus vulnérables et les plus défavorisés : les immigrés et leurs enfants. Les dernières violences urbaines sont en partie (mais en partie seulement) une des conséquences de *l'ethnicisation de l'espace social*. Les pouvoirs publics sont devant une nouvelle figure de l'immigré : un citoyen qui ne veut plus être prisonnier d'une communauté préexistante, mais qui procède d'une communauté élargie, laquelle rend possible le lien politique, l'entretient et le fait durer par l'action commune. Certes, cette figure est historiquement nouvelle et rien n'est acquis. Des questions importantes demeurent. Comment ne pas se laisser enfermer dans le modèle anglo-saxon, de plus en plus dominant, fondé sur la communautarisation et le différentialisme ethnique ? Comment répondre à des demandes, parfois contradictoires et plus ou moins légitimes, de reconnaissance sociale et « identitaire » (au sens large), sans céder sur l'égalité des sexes et la laïcité ? Comment faire de l'islam une religion comme toutes les autres, en d'autres termes une religion séparant, en droit et en pratique, le temporel du spirituel et relevant pour l'essentiel de la sphère privée ? Tels sont les quelques enjeux fondamentaux posés à la société et à la nation française. Il ne s'agit pas de glorifier une quelconque « exception française », mais de rechercher collectivement des réponses, par définition historiques, à ces questions. L'anxiété sociale, inhérente à ces enjeux, ne doit pas se fixer sur une « disparition » de la France à cause d'un « trop plein d'immigrés », un pur fantasme qui sert de moteur à des visées électoralistes et populistes. Même dans les mouvements nationalistes d'extrême droite, il n'est pas sûr que tout le monde adhère sincèrement à cette croyance politique. L'immigration n'est pas une atteinte à l'identité de la France : un regard un tant soit peu averti sur l'histoire de l'immigration, qui n'est rien d'autre que l'histoire de France, en fournit la preuve la plus probante. Tout comme elle ne peut pas, ne peut plus se résumer à une simple question de réglementation : un immigré n'est pas seulement un étranger qui entre et séjourne dans un pays d'accueil. L'immigration est avant tout une épreuve nationale comme le sont, ni plus ni moins, le chômage de masse, l'exclusion sociale, l'échec scolaire ou l'inégalité (travail, politique, mandat électif, etc.) entre les hommes et les femmes. Contrairement à ce qui est dit ici et là, de manière dramatisée et quelque peu naïve, la société française, dans bien des domaines, continue de produire, à l'égard de ses immigrés, ses effets d'incorporation dans la nation française. Nous avons dit « dans bien des domaines », cela ne veut pas dire « dans tous les domaines ». Ce que l'on nomme le « modèle d'intégration à la française » a certes ses limites et ses échecs. Mais surtout, il se heurte à une difficulté politique et culturelle majeure : rendre socialement naturelle la présence des immigrés et celle de leurs enfants, pour que leur insertion économique et leur horizon professionnel ne se résume pas à un enchaînement sans fin de petits boulots et de chômage. Si les situations marginales surmédiatisées (émeutes de banlieues, etc.) ne constituent pas toute l'immigration, à l'inverse, ce serait une grave erreur de perception de croire que le « modèle républicain » offre à des millions de Français et d'étrangers une vie normale, dans une France harmonieuse.

Pour aller plus loin

Les ouvrages, les articles et les rapports sur l'immigration constituent aujourd'hui une littérature très abondante. Ce thème se prête aisément aux polémiques et aux partis pris idéologiques. Aussi, ce qui est écrit est souvent d'une qualité relativement médiocre et malheureusement, les sciences sociales elles-mêmes n'échappent ni aux stéréotypes ni à la politisation naïve en cours dans ce champ d'étude. Mais sans conteste, ce thème a aujourd'hui une place de plus en plus légitime dans la production scientifique.

Pour une **vue générale et historique**, on lira Philippe Dewitte (dir.), *Immigration et intégration*, Paris, La Découverte, 1999 ; Yves Gastaut, *L'Immigration et l'opinion sous la Ve République*, Paris, Seuil, 2000 ; Gérard Noiriel, *Le Creuset français. Histoire de l'immigration XIXe-XXe siècle*, Paris, Seuil, 1988, Points Seuil, 2006 ; Michèle Tribalat (dir.), *Cent ans d'immigration, étrangers d'hier, Français d'aujourd'hui*, Paris, Ined, 1991 ; Vincent Viet, *La France immigrée. Construction d'une politique, 1914-1998*, Paris, Fayard, 1998 ; Patrick Weil, *La France et ses étrangers. L'aventure d'une politique de l'immigration de 1938 à nos jours*, Paris, Gallimard, 1995, Folio, 2005. Ce sont là autant d'ouvrages importants car ils privilégient le temps long pour comprendre comment la France est devenue une terre d'immigration. L'histoire, la sociologie et le droit constituent les trois disciplines sur lesquelles s'appuient les auteurs cités.

Pour une approche plus approfondie sur les **liens entre immigration et société**, on lira Abelmalek Sayad, *La Double Absence*, Paris, Seuil, 1999 ; Didier Fassin, Alain Morice, Catherine Quiminal, (dir.), *Les Lois de l'inhospitalité*, Paris, La Découverte, 1997 ; Stéphane Beaud, Michel Pialoux, *Retour sur la condition ouvrière*, Paris, Fayard, 1999 ; Vincent Geisser, *L'Ethnicité républicaine*, Paris, Presses de Sciences-Po, 1997 ; Danielle Lochak, *Étrangers, de quel droit ?* Paris, PUF, 1985 ; Nancy L. Green, *Repenser les migrations*, Paris, PUF, 2002. Ces livres portent sur le traitement social et politique de l'immigration par l'État et ses institutions en France. Ils sont représentatifs des différentes approches scientifiques dans le domaine.

Sur **les réfugiés, les déplacements de populations et les migrations internationales**, on lira Michel Agier, *Les Réfugiées au bord du monde*, Paris, Flammarion, 2002 ; Centre Tricontinental (dir.), *Genèse et enjeux des migrations internationales*, Points de vue du Sud, Syllepse, Paris, 2004 ; Jean-François Bayart, *Le Gouvernement du monde. Une critique politique de la globalisation*, Paris, Fayard, 2004 ; Michel Foucher, *Fronts et frontières*, Paris, Fayard, 1991 ; Gildas Simon, *Géodynamique des migrations internationales dans le monde*, Puf, 1995 ; Haut Commissariat des Nations unies pour les réfugiés (HCR), *Les Réfugiés dans le monde*, éditions Autrement, Paris, 2000 ; Marie-Claire Caloz-Tschopp, *Les Étrangers aux frontières de l'Europe et le Spectre des camps*, Paris, La Dispute, 2004 ; Michelle Guillon, Luc Legoux, Emmanuel Ma Mung, (dir.), *L'Asile politique entre deux chaises : droits de l'homme et gestion des flux migratoires*, Paris, L'Harmattan, 2003.

Ces ouvrages reposent sur des études de terrain et offrent des comparaisons très instructives entre pays dans le domaine des déplacements de populations volontaires ou forcés.

Sur les **pays du sud de l'Europe confrontés à l'arrivée d'immigrés clandestins**, on se reportera à Évelyne Ritaine (dir.), *L'Europe du Sud face à l'immigration. Politique de l'étranger*, Paris, PUF, 2005. Elle y étudie l'accueil des immigrés en situation légale et illégale en Italie, Espagne et Portugal, pays d'émigration devenus des zones d'immigration et les réponses politiques apportées par cette nouvelle situation.

Sur les **questions liées à la citoyenneté et à l'intégration dans la nation française**, on pourra lire avec intérêt Philippe Bataille, *Le Racisme au travail*, Paris, La Découverte, 1997 ; Commission de la nationalité, *Être français aujourd'hui et demain*, 2 vol., Paris, La Documentation française, 1988 ; Dominique Schnapper, *La Communauté des citoyens : sur l'idée moderne de nation*, Paris, Gallimard, 1994 ; Étienne Balibar, *Nous, citoyens d'Europe ?*, Paris, La Découverte, 2001.

Ces ouvrages abordent différemment une même problématique, celui de l'accès des étrangers à la citoyenneté française et les enjeux culturels et symboliques qu'elle pose à la société française.

Pour une vue synthétique mais fort utile afin de comprendre comment et dans quelles conditions historiques est apparue une science de l'immigration en France et aux États-Unis, on lira Andrea Rea et Maryse Tripier, *Sociologie de l'immigration*, Paris, La Découverte, 2003 et Jean-Michel Chapoulie, *La Tradition sociologique de Chicago*, 1892-1961, Paris, Seuil, 2001.

Derniers titres parus dans la même collection

Pour connaître la liste complète des titres de la collection :
www.lecavalierbleu.com

Responsable éditorial : Marie-Laurence Dubray.
Remerciements de l'Éditeur à : Hélène Latreille, Lara Ohana,
Marie Dilger.

Imprimé en France en octobre 2006 sur les presses de l'imprimerie
Darantiere à Quetigny. N° d'impression : 26-1771
© Le Cavalier Bleu, 31 rue de Bellefond, 75009 Paris.
ISBN 2-84670-154-7 / Dépôt légal : novembre 2006.